JEAN-PIERRE FERLAND

Recherche et coordination : Dyane Lessard
Coordination à la fabrication : Kristine Belle-Isle
Révision et correction : Marie-Claire Saint-Jean
Conception graphique et infographie : TDT Laser+

Dépôt légal
Bibliothèque nationale du Québec, 1993
Bibliothèque nationale du Canada, 1993
ISBN 2-9803762-0-5

DIFFUSION

Diffusion Prologue Inc.
1650, boul. Lionel-Bertrand
Boisbriand (Québec) Canada
J7H 1N7
(514) 434-0306

Entre la vérité et le mensonge,
il y a la sincérité.

Marie-Ange la douce

Au petit matin de
mes noces,
ma benjamine de
sœur s'est parquée
sur mes genoux
et m'a compté
vingt-sept boutons
en pleine face…

À vingt ans,
l'acné avait brûlé
ma jeunesse
tout comme la
piété avait bouffé
mon enfance.

Un trou.

Un grand trou et,
soudain, le cadeau
d'une guitare
devient toute ma
vie.

Si j'avais été
costaud, j'aurais
fait du rodéo
mais j'étais
baraqué comme
un commis de
bureau…

Merveilleusement,
mon bureau était
à la maison
Radio-Canada,
dans cette grande
société qui peut
faire des artistes
avec des mes-
sagers…

Le bar, l'auto-
bus, Rosemont,
Carcassi,
Segovia, Brassens
et Ferré.

Mi, sol, fa et le
tourment de
vouloir s'exprimer
malgré la peur de
n'avoir rien à dire.

Il saigne, le
«Maigre échine»,
il sait bien que les
moches embellis-
sent en vieillissant,
que l'humour vaut
bien des belles
gueules…

Mais l'esprit?
Ayoye!

La poésie?
Ayoye!

Rimbaud,
Verlaine,
Sinatra, le
Kingston Trio,
Ima Sumac...

Le pire, c'est que
je n'ai jamais osé
chanter.

Chanter! Il faut
bien écrire pour
que la voix soit
pardonnée.

Rita, Louise,
Madeleine et puis
l'inspiration, la
«patente» la plus
pure du désir.

La chienne
d'inspiration!
L'ange, l'agace-
rimette.

Elle s'appelait
Anne-Marie P.,
l'amour de
ma première
chanson.

MARIE-ANGE LA DOUCE

Marie-Ange la douce
Avait brodé son nom
Sur le revers d'un chêne
Qui cachait ma maison
Elle avait des yeux d'ange
Une oreille à secrets
Une bouche à s'y pendre
Et un mari distrait

Douce Marie-Ange
À la cervelle d'oiseau
Croquait des nuages
Et parlait aux roseaux

Pieds nus, le cœur au double trot
Je me suis approché
Lui ai crié tout bas
La chaleur de mon dos
Elle daigna arrêter son pas
J'ai failli en mourir
Elle croqua un nuage
Et parla aux roseaux et aux moineaux

Pour mieux qu'on s'en souvienne
Je m'étais égaré
Dans l'amour de mon âge
Celui d'un ver à soie
J'ai oublié bien vite
Le gros chêne et son nom
Marie-Ange la douce
Et sa bouche à secrets

Douce Marie-Ange
À la cervelle d'oiseau
Croquait des nuages
Et parlait aux roseaux
Et parlait aux moineaux

ÇA FAIT LONGTEMPS DÉJÀ

Je n'avais pas pleuré depuis les oreillons. Dans le train Montréal-Québec, ça m'est arrivé...

Je me suis roulé dans le chagrin, le doux chagrin et c'était bon.

Délicieusement douloureux ce quai de gare où Mariette L., la sœur de Raymond L., m'a donné ce baiser d'abandon avant d'aller retrouver Claude L., le beau ténébreux.

J'avais pitié de moi.

Il faut que je l'écrive pour qu'elle ne m'oublie pas.

La, mi, ré.

ÇA FAIT LONGTEMPS DÉJÀ

Je sens encore ma main glisser
Sur ton foulard de soie qui cachait mal
Que t'avais le cœur en mal de m'aimer
Et un amour tout prêt à me donner

Je sens tes lèvres sur ma bouche
C'est comme si j'embrassais l'éternité
Je sens toujours la lune et je la touche
Je sais que je ne pourrai pas t'oublier

Je sens encore tes doigts qui courent
Le long de mon cou, le long de mon cœur
C'est comme si tu faisais danser l'amour
Du bout des doigts sur le bout de mon cœur

Je sens encore c'que je peux rêver
J'ai là ta joue serrée contre ma joue
J'entends le train partir pour je ne sais où
Je sais que je ne pourrai plus t'oublier

Ça fait longtemps déjà
Tu m'as peut-être oublié
Et moi je suis toujours là
À caresser le passé

Si c'était à recommencer
Je t'aimerais tout autant
Je suis comme les giroflées
Je penche du côté du vent

J'entends mon nom, je dis le tien
Je sens tes bras tout autour de mon corps
Je rêve à toi, au trèfle et à demain
Je fais comme si tu m'embrassais encore

Je sens ton souffle dans mon cou
C'est un soupir qui ne finira jamais
J'entends les trains partir pour je ne sais où
Je sais que je ne t'oublierai plus jamais

Une autre fois, une autre année
Ne me parle plus d'amour tu n'en sais rien
Si tu savais comme ça fait mal d'aimer
Et ce que c'est loin d'aujourd'hui à demain

Cette autre fois, ne t'en vas pas
Ça fait trop loin, d'hier à demain

Les enfants que j'aurai

Le jazz «blanc» ressemble à l'inventaire d'un clavier.

Pour deux mesures inspirées il faut se farcir les soixante-quatre qui prédisposent et les cent vingt-huit qui ratatinent; c'est le purgatoire harmonique des compositeurs.

Paul D. a toutes les qualités d'un grand musicien : il est inquiet, prétentieux et victime d'un mal qu'il m'a prouvé le jour où il s'est suicidé.

Il faut savoir qu'avant de rendre l'âme, il faut s'astreindre à l'épuiser.

Un long cri de bébé dans un grand piano noir.

LES ENFANTS QUE J'AURAI

Les enfants que j'aurai
Seront fiers et poètes
Auront le cœur en guitare
Et le goût des bateaux
Moitié toi, moitié moi
Ces enfants que j'aurai un jour
Je veux qu'ils te ressemblent
Et qu'ils me ressemblent aussi

Toi tu leur diras l'amour
Moi je leur dirai comment
Sur le dos d'un cerf-volant
On peut aller au-delà du temps

Qu'on me donne un clairon
Avant que je vieillisse
J'ai un fleuve à creuser
J'ai un monde à fleurir

Faites joli dodo
Les enfants que j'aurai un jour
Je vous berce déjà
C'est un rêve à finir
Dormez les poings fermés
Serrés sur le bout de mon cœur
La nuit c'est ma chanson
Ma chanson est jeunesse

Viens tout près de moi
Viens au creux de mon bras
La nuit reste ma chanson
Ma chanson est jeunesse
Et s'achève en désir

TON VISAGE

La dernière des deux seules chansons que Paul D. et moi avons faites ensemble.

Voici toute notre histoire.

Les paroles et la musique collaient si bien ensemble que j'ai eu peur d'avoir aimé la même femme que lui...

TON VISAGE

Des yeux bruns pour le jour
Des yeux verts pour l'amour
Ton visage

Des yeux que j'aimerai
Pour deux éternités
Ton visage

Une bouche à jamais
Douce comme un secret
Ton visage

Il est beau, il est chaud
Il est ma fleur de peau
Ton visage

En me fermant les yeux
Je le devine au creux
Des nuages

J'ai dû fermer les yeux
J'aurais dû faire un nœud
Aux nuages

Le vent s'est retourné
Et la vie m'a soufflé
Ton visage

Et je me suis soûlé
Pour tâcher d'oublier
Ton visage

Mais il reste collé
Dressé sur mon passé
Qui s'ennuie, mon passé
Et je le redessine
Et le vent le ressouffle
Ton visage

Je suis capitaine
D'un bateau de peine
Qui ne coulera jamais
J'ai deux fois la peine
De cent capitaines
Qui ne s'embarqueront plus

Et je me suis soûlé
Pour tâcher d'oublier
Ton visage
Et je me soûle encore
À jeun et à tribord
Quel voyage

Hier c'était demain
Demain ce sera toujours ton visage
Qui s'entête à coller
Comme un drapeau mouillé
En retraite
Et je le redessine
Et le vent le ressouffle
Ton visage

Deux yeux bruns pour le jour
Des yeux verts pour l'amour
Ton visage
Deux yeux que j'aimerai
Pour deux éternités
Ton visage
Il est beau il est chaud
Il est ma fleur de peau
Ton visage
En me fermant les yeux
Je le devine au creux des nuages
Des yeux bruns pour le jour
Des yeux verts pour l'amour
Ton visage

Du côté de la lune

Je voulais rencontrer des femmes et me faire des amis.

J'ai réussi!

Jean B., réalisateur à l'époque d'une nouvelle émission de télé qui s'appellait «Du côté de chez Lise», se pointe au bout du couloir et me demande de composer la chanson-thème de l'émission.

L'animatrice, Lise R., est de toute beauté : un peu plus vieille que moi mais racée.

L'inspiration, la menteuse, la snobinarde!

Je me suis fendu en quatre. Je n'ai pas eu Lise mais j'ai gagné Jean B. comme ami.

Dans la même foulée, deux autres thèmes d'émission : «Les couche-tard» avec Jacques N. et Roger B. et «Jus d'orange et café» avec Dominique M. et Normand H.

Ce qui a fait dire à Jacques N. que j'étais un «criss en thèmes»...

DU CÔTÉ DE LA LUNE

J'ai pris un côté de la lune
Un champignon pour faire un toit
Et j'ai cueilli un mur de prunes
Je m'en suis bâti un chez moi
Y'aura du soleil plein ma chambre
Les papillons seront chez eux
Et les amitiés de décembre
Seront plus grandes et plus heureuses
Adieu les châteaux de briques
Les fleurs en papier mâché
Les amitiés anémiques
J'ai trouvé mieux pour rêver
Pour rêver, pour aimer
Adieu, les valses mouillées

J'ai pris un côté de la lune
Un champignon pour faire un toit
Et j'ai cueilli un mur de prunes
Je m'en suis bâti un chez moi
J'irai prendre au jardin des anges
Des pompons bleus, des lilas blancs
J'en tresserai avec des franges
Des lits d'amour et d'innocence
Adieu les châteaux de brique
Les fleurs en pâpier mâché
Les amitiés anémiques
J'ai trouvé mieux pour rêver
Pour rêver, pour aimer
Adieu les valses mouillées

J'ai pris un côté de la lune
Un champignon pour faire un toit
Et j'ai cueilli un mur de prunes
Je m'en suis bâti un chez moi
Y'aura du soleil plein ma chambre
Les papillons seront chez eux
Et les amitiés de décembre
Seront plus grandes et plus heureuses

Feuille de gui

Je suis toujours commis de bureau à Radio-Canada et j'écris des chansons sur mes heures d'ouvrage...

Je meurs d'angoisse. C'est l'émoi qu'il faut payer quand on déjoue sa destinée.

C'est le printemps, le temps du concours international de la chanson francophone et le Québec est à court de chansons.

Roger D., le producteur, me supplie presque de boucher ce trou.

Aucune inspiration sauf l'envie de faire honneur à la C.B.C.

Une gageure, une bataille de chansons : le Plateau Mont-Royal contre les Champs-Élysées, contre Bruxelles, contre la Suisse.

La finale se tient en Europe. « Prime time! »

J'en rêve.

J'y vais.

Je gagne.

C'est le plus beau jour de ma vie, j'ai des producteurs plein les bras et des bas noirs sur mon lit...

Ce soir-là, j'ai quitté ma femme et la C.B.C.

FEUILLE DE GUI

Ce jour, ce jour
Je porterai feuille de gui

Quand nous boirons au même verre
La tisane des bons copains
Et qu'aux quatre coins de la terre
Le fiel tournera raisin

Quand nous allumerons nos pipes
Au flambeau d'une liberté
Payée au prix d'une salive
Et non à celui d'une épée

Mais tout autour de moi s'enchaîne
Je ne sais plus trop bien qui j'aime
Si je dois mordre ou caresser
Tresser la corde ou la brûler

Vienne la saison des colombes
Et celle des feuilles de gui
Poussent les roses sur les tombes
Et dans le canon des fusils

Dites-moi comment, mère, écrit-on le mot PAIX?

Marie-Claire

Première grande
tournée : de
Halifax à
Vancouver en
auto, une Pontiac
jaune pissenlit avec
un moteur v-8 et
des pneus d'hiver.

Un spectacle
chaque soir, sept
cents kilomètres
par jour;
des motels de fran-
cophones hors-
Québec et des
hamburgers salis-
sants.

Mais, surtout, des
salles paroissiales,
des sous-sols
d'églises et des
gymnases d'écoles
primaires.

On accorde les
pianos, on enroule
du papier d'alu-
minium autour des
100 watts, on
enlève les pots de
fougères et puis on
chante de tout son
cœur...

Pour presque per-
sonne, pour
quelques nostal-
giques fidèles à
leurs aïeux;
pour presque per-
sonne, ceux qui
s'accrochent à ma
langue en pleurant
la patrie et en per-
dant leurs fils.

C'est après le con-
cert, en mangeant
des céleris farcis
chez le directeur du
Comité pour la
Survivance de la
Langue
Française, qu'on
voit que ça fait
mal.

Ça fait mal aux racines un Jean-Paul Archambault notaire à Saskatoon...

Pas question de se soûler au Canada : le «last call» tombe à la même heure que mon rideau.

Pas question de faire l'amour non plus, l'hôtel est à côté du presbytère.

Je m'endors sur le «Ô Canada» de la télé voisine en m'imaginant

Calixa L. et Basile R. en train d'écrire leur chanson...

Il était onze heures du matin, la chambre était laide mais le lit très bon et le ciel très bleu.

Je gratte ma guitare et comme toujours, sans y penser, je me retrouve en 3/4 sur l'accord de ré et je fais des sons d'harmonica avec ma bouche.

Une chambre d'hôtel, ça sent les pieds et on entend toujours parler le sexe.

Les histoires vraies sont faciles à écrire; les souvenirs d'enfance ont chacun leur musique.

À midi, ma chanson était écrite, paroles et musique.

Quand je me revois petit, il fait toujours soleil.

MARIE-CLAIRE

Elle m'amena jusqu'à la rivière
Marie-Claire, Marie-Lo
Elle m'amena jusqu'à la rivière
Par le p'tit chemin du bord de l'eau

Ce n'était pas pour pêcher la truite
Marie-Claire, Marie-Lo
Ce n'était pas pour pêcher la truite
Qu'elle s'étendit sur mon radeau

Ce n'était pas pour troubler la brise
Marie-Claire, Marie-Lo
Ce n'était pas pour troubler la brise
Qu'elle soupirait comme un roseau

Elle mit ma main sur sa poitrine
Marie-Claire, Marie-Lo
Elle mit ma main sur sa poitrine
Elle était pucelle et j'étais puceau

Elle me dit : «Je voudrais être mère»
Marie-Claire, Marie-Lo
Elle me dit : «Je voudrais être mère
Fais comme il se doit et comme il faut»

Je blottis mes lèvres sur sa bouche
Marie-Claire, Marie-Lo
Je blottis mes lèvres sur sa bouche
En souhaitant que ce soit comme il faut

Puis nous sommes tombés à genoux
Marie-Claire, Marie-Lo
Puis nous sommes tombés à genoux
Les mains jointes et les larmes aux joues

Nous l'appellerons Jean-Pierre
Marie-Claire, Marie-Lo
Nous l'appellerons Jean-Pierre
Le premier petit de Marie-Lo

Maintenant que je connais les femmes
Marie-Claire, Marie-Lo
Que je connais le très bon goût des femmes
je m'en vais saborder mon radeau

Je coupai une branche de cèdre
Marie-Claire, Marie-Lo
Je coupai une branche de cèdre
Et la plantai au cœur de mon radeau

Je croyais enterrer mon enfance
Marie-Claire, Marie-Lo
Je croyais enterrer mon enfance
Mais c'était un coup d'épée dans l'eau

Hier j'ai rencontré Marie-Claire
Marie-Claire, Marie-Lo
Hier j'ai rencontré Marie-Claire
Elle attend son cinquième marmot

Et son plus vieux s'appelle Jean-Pierre.

Marie et Joseph

Ils ont tous parlé.
Jésus a parlé,
Marie a glissé
quelques mots,
saint Pierre, saint
Paul, saint Jean,
ils ont tous dit
quelque chose.

Tous, sauf saint
Joseph : motus,
silence, rien;
ni à Marie, ni au
saint-Esprit, ni au
bœuf.

Pas un son : le
saint le plus mou
de la liturgie, une
patate.

À Noël, afin que
ma mère n'ait pas
prié une lavette
tous les jours de sa
vie, je l'ai
décanonisé dans
une chanson
d'amour.

J'aime mieux
écrire qu'aller à la
messe.

J'ai des remords
d'avoir perdu la
foi.

MARIE ET JOSEPH
(La plus belle histoire d'amour)

Le ciel n'a mis qu'une étoile
Je n'ai rien d'autre à t'offrir
Je n'ai pas de cathédrale
Mais je t'aime à en mourir

La chambre n'est pas bien rose
C'est peut-être un avant-goût
De tant d'autres choses
Mets ta tête dans mon cou

Un avant-goût d'autres peines
Dont tu ne reviendras pas
En donnant ce que tu aimes
À qui tu ne connais pas

Marie tu sais que les hommes
Ne sont pas très malins
Ce que tu leur abandonnes
Ne servira peut-être à rien

Sans en parler à personne
Si nous le gardions pour nous
Sans en parler à personne
Nous le gardions entre nous

Pour qu'il ait la vie facile
Nous l'appellerions Judas
Jésus c'est trop difficile
Il y a beaucoup trop de croix

Tu ne serais pas madone
Je ne serais pas élu
Tu n'aurais pas de couronne
Mais lui n'en aurait pas non plus

Je lui parlerais d'écorce
Toi de soleil et de pluie
Je lui apprendrais la force
Et toi, son «Je vous salue Marie»

C'est trop d'amour qui m'emporte
J'ai peur de te voir pleurer
L'étoile est à notre porte
Les bergers vont s'agiter

Voilà que le ciel s'étire
Pour laisser passer sa moitié
Il n'existe pas d'empire
Qui se forge sans peiner

Je voudrais tant que ceux qui poussent
Ceux-là qui vont en profiter
Marie mon cœur, Marie ma douce
T'aiment autant que je t'ai aimée.

ÉCRIRE UNE CHANSON

J'adore la poésie.

Je comprends mal Cocteau mais je me sens tout près d'Eluard.

Je meurs d'être un poète, est-ce que la poésie s'apprend?

Le soir, je m'en approche. Mais le jour!

Je ne suis pas un visionnaire, je n'ai pas la vocation.

Je cours les filles, je ferme les bars. Finalement, je ne suis pas sérieux... de peur de ne pas avoir de talent.

Ma bonne guitare!

C'est pour ça que la musique existe : pour faire passer des petits poèmes qui ne tiendraient pas debout tout seuls.

ÉCRIRE UNE CHANSON

Écrire sur des glaces fondues
Bâtir des marais profonds
Sa vie, ses chagrins et les amours qu'on aurait voulus
Ça se dit écrire une chanson

Et le temps sait se charger du reste
Et le vent sait comment l'emporter
À moins qu'un de ces soirs il chavire et se trompe d'adresse
Une chanson c'est fait pour s'oublier

Vieillir sans jamais prendre d'âge
Rêver sans jamais s'endormir
Savoir caresser une larme et savoir davantage
La laisser rouler sur un clavier

Graver en toute ressemblance
Un visage qui vient ou s'enfuit
Ne pas chercher trop d'importance
D'un métier qui ressemble à la vie

Aimer les amoureux du monde
Pleurer où ils s'embrasseront
Offrir la moitié de son cœur en cent trente secondes
Ça se dit écrire une chanson

Écrire une chanson
Écrire une chanson
L'entendre chantée

Lise

L'amitié est
d'une culture
moins grave que
celle de l'amour...
On dirait que
l'admiration en est
la seule pâture.

Le degré d'émo-
tion dans l'amitié
tient de l'octo-
gone.

À bout d'amour,
la compensation
ne peut être l'ami-
tié...

Un cercle, c'est
parfait.

LISE

Lise, ma Lise
Qu'est-ce que tu fais?
Tes valises Lise, ma Lise
Qu'est-ce que j'ai fait?
La sottise d'une bise
Dans le cou d'une autre Lise
Qui était grise
Comme je l'étais

Douce, ma douce
Si tu voulais
Que je touche
À ta bouche
Je te dirais
Que la mousse
Qui se couche
Le long des grands ormes gris
N'est pas plus douce
Que la bouche
De ma mie.

Tu fais des montagnes
Avec des cailloux
Tu pars en campagne
Pour des riens du tout

Lise, ma Lise
Si tu restais
Je m'enliserais
Ma Lise
Je m'enliserais
À ta guise
Fleur de Lise
Je me fleurdeliserais
Quoi qu'on dise
Je me dépayserais

Douce, ma douce
Je suis battu
Comme mouche
Douce, ma douce

Rien ne va plus
T'es farouche
Trop farouche
T'es plus bête
Que têtue
Je me couche
Je ne te parle plus

Tu fais des montagnes
Avec des cailloux
Tu pars en campagne
Pour des riens du tout.

Mais Lise je précise
Si tu partais
Je te brise, Lise, ma Lise
Je te briserais
Par sottise
Par bêtise
Je ne supporterais pas
Que ma Lise
Se grise
Dans d'autres bras

Mais douce, ma douce
Si tu voulais
Que je touche
À ta bouche
Je te dirais
Que je t'aime
Que je t'aime
Et que je m'enliserais
Lise, ma douce, si tu restais

SALUT FRANÇOIS

Dimanche soir, au Palais de Chaillot à Paris, grand concert snob avec vieux et nouveaux artistes.

Le public parisien est péremptoire; plus il est sophistiqué, plus il est grossier : la revanche du quidam.

Johnny Halliday me précède sur scène.

Les pièces de deux francs fusent de toute part, c'est le rock and roll que l'«establishment» français réfute.

J'ai mal au cœur quand vient mon tour. Entre l'accordéon et le «bass drum», ça va.

Sept dollars par jour à l'hôtel de Seine avec vue sur Notre-Dame, l'aiguille de la Sainte-Chapelle, la Rue-du-Chat-Qui-Pêche et sur la belle tôlière, je fais maintenant partie du «show business» français.

Un dénommé Franck D. se pointe à mon hôtel :

– Je suis pianiste!

– Êtes-vous bon?

– Je suis le meilleur.

– Je vous attends à Montréal demain!

Vol Air Canada 790. Je lui donne mon billet d'avion et je m'en achète un nouveau à Orly.

Un échappé de culture, un cerveau exceptionnel.

Jamais je n'ai aimé un homme avec autant d'«infragilité» et pas un homme ne m'a aimé aussi brutalement.

On ne se pardonnait rien, on ne s'est rien caché. C'était un musicien extra-terrestre.

Au «bowling», au «pool» et au «heavy drinking», il m'était supérieur.

Il avait accompagné Phillipe Clay, Catherine Sauvage et Jacques Brel; ce soir, au Patriote de Sainte-Agathe, il m'accompagne si délicieusement que j'ai tendance à croire qu'il aime ma poésie.

À la coda de «Ton visage», le public s'est levé. Ce n'était pas pour moi, c'était pour lui...

La pitance de l'amitié!

SALUT FRANÇOIS

Salut François, Salut Villon
Salut monsieur de l'Aragon
Je viens d'faire deux rimes
Qui frisent à peine la poésie
Et qui ne font pas l'Académie
Mais qui se miment
Une main sur le cœur
L'autre à la lune
Avec des amours cachés dans chacune
C'est pas pour cette année
L'immortalité
Ni pour demain matin
Le prix Quintinquin
Salut François, Salut Villon
Je viens d'écrire une chanson

Salut Ravel, Salut Zin-Zin
Salut Frédéric de Chopin
J'viens d'faire deux notes
Qui se jouent avec un seul doigt
Et qui n'auront jamais l'éclat
Des feuilles mortes
Avec leur tralai, trala, lai
Sans conséquence
Et leur pam pouti, pouti-dai
Sans importance
C'est pas pour cette année
Mon concerto en ré
Ni pour demain matin
Mon boléro en rien

Salut François, Salut ZinZin
J'avais l'goût d'chanter ce matin
Salut Trenet, Salut Ferré
Salut mon œil, mon pied
Salut ma chansonnette
Mon vieux copain des jours de pluie
Ma bonne amie, mon coup de vin
Ma chansonnette
Si un jour elle fait le tour du monde
Ce sera dans la caboche de ma blonde
Quand je chanterai
Allez tapez du pied
Quand je la finirai, finirai
Tapez, tapez, tapez, tapez, tapez, tapez
J'ai l'goût d'chanter.

LES FLEURS DE MACADAM

Si j'ai choisi de vivre la plus belle partie de ma vie à la campagne, c'est que j'avais des dispositions.

Ma mère disait que j'allais faire un agronome.

J'ai fait pousser un pommier, quand j'étais petit, à partir d'un cœur de pomme : il a fait comme moi, c'est un «feluette».

La dernière fois que j'ai tourné devant le 5089 Chambord, les enfants hispano-québécois m'ont remercié de leur avoir donné des pommettes à se «garocher»...

C'était une pomme fameuse!

LES FLEURS DE MACADAM

Un brin de soleil, six pieds de boucane
Un escalier en tire-bouchon
Les voisins d'en haut qui se chicanent
Ma mère qui veille sur son balcon
Deux pissenlits, trois cents poubelles
Enlignées comme mes saisons
Et dans leur dos un coin de ruelle
Mon premier verre de whisky blanc
Blanc, blanc, blanc

On a poussé en bas des cheminées
Les pieds dans l'mortier
Le nez dans la boucane
Moitié cheminée, moitié merisier
Comme une fleur de macadam

La fantaisie plus grande que la panse
On rêve d'acheter ces cheminées
De s'en faire une lorgnette immense
Pour voir ce qui se passe de l'autre côté
Comme à chaque jour suffit sa peine
Frette en hiver, chaude en été
On se dit ma cour vaut bien la sienne
Même si c'est pas toujours rose bébé
Bé, bé, bé

On a poussé en bas des cheminées
Les pieds dans l'mortier
Le nez dans la boucane
Moitié cheminée, moitié merisier
Comme une fleur de macadam

Et comme on pousse, v'là comme on cause
Les dents prises dans le béton armé
Fantaisie en forme de prose
Écrite à l'œil, rythmée au pied
Hey, pssst
Le poing tendu le juron juste
La peur de rien, l'envie de tout
Mais la perte du plus robuste
Au premier jupon qui se fait doux
Doux, doux, doux

On a poussé en bas des cheminées
Les pieds dans l'mortier
Le nez dans la boucane
Moitié cheminée, moitié merisier
Comme une fleur de macadam

Le macadam c'est comme la cliche
Ça passe quand on y met le temps
Mais pour moi plus le temps s'effrite
Moins j'ai le goût des fleurs des champs
Quand je serai vieux quand je serai riche
Quand j'aurai eu trois fois vingt ans
Sur la plus haute des corniches
J'irai proser mes vieux printemps
Qu'on aligne mes trois cents poubelles
Et qu'on plante deux pissenlits
Que ma rue mette ses jarretelles
La fleur de macadam s'ennuie

On a poussé en bas des cheminées
Les pieds dans l'mortier
Le nez dans la boucane
Moitié cheminée, moitié merisier
Comme une fleur de macadam

La ville

Je m'en vais vivre à Paris.

Femmes ou villes, plus elles sont belles, plus il faut en arracher...

Ma mère s'est refusée à nous bercer parce qu'en en berçant un, elle aurait dû en berçer sept.

Le goût de la beauté est un péché mortel.

LA VILLE

Ça crasse et ça pue
Ça s'étend
Ça mange les gens
Ça pollue
Ça marie le plomb et le lilas
Ça mêle l'encens et la marijuana
C'est un charabia
Vu d'en bas
C'est un estomac
Vu d'en haut
Un maigre cerveau
C'est si laid parfois
Que ça devient si beau

Et ça vous prend là
Et ça vous retient
Ça vous fait rat
Comme une putain
Ça vous prévient
Et ça vous tarit
Ça vous prend tout
Jusqu'au dernier sou
Jusqu'à l'oubli
Ça vous bute en blanc
Ça vous étend
Ça vous fait marquis un jour
Et chien le suivant

Ça pleure et ça rit
Ça s'étend
Ça mange les champs
Ça aigrit

Ça fait des anges avec des truands
Des vendus avec des purs avec des francs
Quand on s'y méprend
On la hait
Quand on la comprend
On s'y fait
Quand on la connaît
On s'y prend d'amour
On la prend comme elle est

Avec son tapis
De crasse et de suie
Son jour et nuit
Avec ses brouillards
Ses trous boueux
Son génie bâtard
Avec ses feux
Son ventre de bois
Ses nerfs d'acier
Ses jardins pavés
Avec ses rois qui traînent la rue un jour
Et l'autre la nettoient

Havre de fous
C'est un havre de fous
C'est l'enfer, le trou
L'orphelinat et pourtant
Et par goût
Jamais je n'aurai vraiment
D'autre chez-moi

Avec son tapis
De crasse et de suie
Son jour et nuit
Avec ses brouillards

Les journalistes

L'art de devenir vedette :

Recette n° 1 : Se payer une annonce commerciale à la télévision en vendant soi-même ses stores verticaux ou ses habits.

Recette n° 2 : Devenir éditeur d'un grand journal et en profiter pour dire personnellement n'importe quoi.

Recette n° 3 : Tirer sur un Noir.

Recette no.4: Se faire détester en engendrant la peur.

LES JOURNALISTES

Beaucoup de mots très peu d'humour
Moitié pinson, moitié vautour
Tout dépend de l'heure et du jour
De l'édition et du tirage

Ils ont autant d'élan moral
Qu'ils ont de pages à leur journal
Ça fait du bien, ça fait du mal
Tout dépend de leur avantage

Ils vous habillent à leur façon
Vous prêtent des déclarations
Vous coupent en deux ou trois tronçons
Ils vous tuent puis ils vous éventrent

Ils racontent ce qu'ils ont su
D'un autre qui a bien connu
Un autre qui a très bien vu
Quand ils n'ont rien su ils inventent

Quand ils ont lu Tintin, Prévert
Quand ils ont écrit quatre vers
On les consacre reporters
Dans la mode ou la politique

Quand ils n'ont plus assez d'idées
On les met aux chiens écrasés
Quand y'en a plus ils sont mutés
On les met au rang des critiques

As-tu vu mon papier tout frais
C'est presque du papier-monnaie
Est-ce que tu connais Bossuet
Tout à fait moi moins la légende

C'est pas du mou, c'est du brutal
Et pis ça f'ra original
J'avais mal à mon piédestal
Quand on monte plus, y faut descendre

Pour les comprendre il faut les voir
Le moins souvent mais certains soirs
Surtout quand ils jouent l'épluchoir
Aux soirées de grandes premières

Le bras pendant la plume au bout
Le programme sur les genoux
Ils feignent de comprendre tout
Mais s'ennuient comme au cimetière

Et leur critique terminée
Il faut les voir se corriger
Mais en toute objectivité
Comme s'ils avaient payé leur place

Et le lendemain au matin
Vous la trouverez dans un coin
Une à la deux mais deux fois rien
Question de goût question d'espace

Quand on sait tout on ne sait rien
Je sais si peu mais je l'sais bien
J'ai appris dans un quotidien
Toutes les lois fondamentales

J'ai appris ce que je savais
Que moins c'est faux et plus c'est vrai
Que plus c'est gros plus c'est épais
Que moins c'est blanc le plus c'est sale

Quand vous écouterez ma chanson
Ne sautez pas aux conclusions
Sachez que vous faites exception
Et que gagner sa vie c'est triste

Ne me mettez pas aux arrêts
Gardez vos rages pour après
Quand je n'aurai plus de succès
Quand je deviendrai journaliste

La grande mélodie

Ma mamelle
musicale :

Bing Crosby,
Léo Ferré…

Aller à l'école
avec de bons pro-
fesseurs, c'est un
plaisir!

En 1988, j'irai le
rencontrer chez lui,
en Italie.

Il aura une
femme, des
enfants, des
oliviers, son propre
vin.

Mais il sera bour-
ru d'avoir tout ça.

Je serai avec
Diane L.

Diane et Léo
se trouveront
tellement beaux
que je devrai
m'interposer…

Il est mort cet été.
Fatigué, poétique-
ment brûlé.

LA GRANDE MÉLODIE

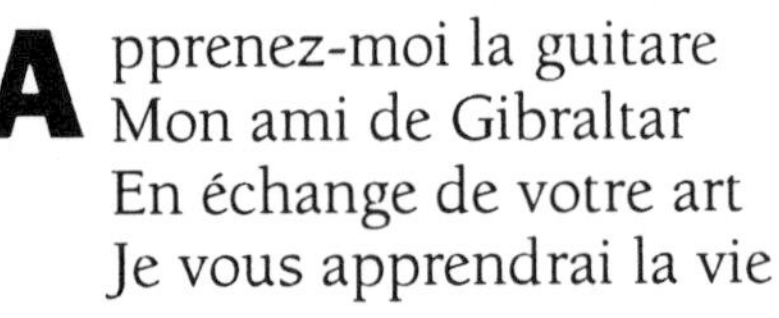

Apprenez-moi la guitare
Mon ami de Gibraltar
En échange de votre art
Je vous apprendrai la vie

Comment on devient très riche
Comment vivre sans un sou
Vous dirai comment on triche
Et on boit sans être soûl

Je vous apprendrai le langage
Des voyous et des vauriens
Le vol à l'étalage
Ou celui des grands chemins

Apprenez-moi le trombone
Mon ami de Carcassonne
Je vous aurai à la bonne
Je vous apprendrai la vie

Je vous enseignerai la femme
De la perruque aux talons
Si bien qu'elles s'ouvriront
Lorsque vous direz : «Sésame»

Je vous montrerai comment
On aborde la plus pure
Je ferai votre culture
Sur les mauvais sentiments

Apprenez-moi le violon
Mon ami de Washington
En échange de vos dons
Je vous apprendrai la vie

Je vous enseignerai la chasse
À la fronde et au fusil
Vous êtes de bonne race
Nous serons de bons amis

Je vous dirai comment faire
Pour taquiner le poisson
Pour maîtriser l'adversaire
Et pour dompter un étalon

En l'espace d'un trimestre
Mes amis m'ont tout appris
Je suis devenu l'homme-orchestre
Je leur ai montré la vie

Mais le trombone a pris ma femme
Et s'est sauvé comme un salaud
Le violon m'a dit : «Sésame»
Et m'a tiré dans le dos

Et mon ami à la guitare
Qui n'était pourtant pas avare
A pris mes économies
Et mon plus beau cheval gris

Réapprenez-moi la danse
Marie, mon amie d'enfance
Je ne suis pas doué je pense
Pour la grande mélodie

Au bord du canal

*La Seine est sale,
les gens sont
froids.*

*Déjeuner au
deuxième étage de
la tour Eiffel c'est
moins étonnant
que de découvrir
que le canal
Saint-Martin a
été asphalté.*

Je m'ennuie.

*Mon gland
moisit dans
l'espérance…*

AU BORD DU CANAL

Assis sur le bord du canal
Je compte les voiles sur mes bras
Comme un abruti je grimace
Dans l'eau dégueulasse
Qui ne me répond pas
Je joue de la flûte
Dans les joncs pourris
Qui ont le même son
Que le son de ma vie
Je m'ennuie

Assis sur le bord du canal
Je fais le total
De mes doigts
Je me raconte des mensonges
Je me ronge les ongles
Et je fais craquer mes doigts
J'entends crisser les feuilles mortes
Sous les redingotes
Des amoureux, dans le petit bois
Juste dans mon dos
J'ai les yeux qui flottent dans l'eau

Bon Dieu, que les journées sont longues
Quand on est tout seul
Bon sang que les soirées sont fraîches
Quand on est tout seul

Assis sur bord du canal
Je compte les vagues en secret
Et comme un parfait inutile
J'épile une branche et m'en fais un archet
Je mets en bouteille des lettres d'amour
Qui vont, qui viennent
Mais qui restent là toujours
Je m'ennuie, je m'ennuie

Assis sur le bord du canal
J'attends un signal
Comme un cri
Qui me viendrait de l'autre rive
Et qui dirait : «Arrive! je m'ennuie aussi»
Je rêve que j'irais à la nage
J'irais à l'abordage
Sans faire un détour
Pour un peu d'amour
Je vendrais la Doure
J'attends, j'allume mon fanal

Bon Dieu, que les journées sont longues
Quand on est tout seul
Bon sang que les soirées sont fraîches
Quand on est tout seul

Assis sur le bord du canal
Je compte les voiles sur mes bras

Mes années d'école

À Paris, la chanson est en pleine industrie.

La solitude, à Paris, ça se prend bien quand on est Canadien.

Tout l'monde adore Félix L. qui, résidant en Suisse et de passage à Paris, m'invite à dîner…

Le chef du «Rendez-vous de Porquerolles» s'est suicidé ce matin parce qu'il a perdu l'une de ses trois étoiles au guide Michelin…

Et moi, demain, je chante à «Bobino»!

Je suis un «drop-out»…

MES ANNÉES D'ÉCOLE

Si j'ai appris à écrire
C'est que j'ai souvent
Lu dans les feuilles de chêne
Et les plumes de paon

Si je sais parler aux belles
C'est que je sais bien
Comment font les tourterelles
Et les chauds lapins

Dans le trou de ma guitare
Y'a comme un perdreau
Dans le fond de mes sabots
Y'a comme un renard

Mais de mes années d'école
Je n'ai rien gardé
Ce n'étaient que des paroles
Pour gâcher l'été
J'ai appris à ma manière
Que la liberté
C'est d'cracher dans la rivière
Ou dans le sentier

Se peut que j'aie fait mes classes
Sur un églantier
Que j'oublie ou que je ne sache
Pas très bien compter

Mais je sais tendre l'oreille
Et je sais rêver
Comme rêvent les corneilles
Et les peupliers

Si je sais plier bagage
Quand il en est temps
C'est qu'avec les oies sauvages
J'ai frayé longtemps

Mais de mes années d'école
Je n'ai rien gardé
Ce n'étaient que des paroles
Pour gâcher l'été
J'ai appris à ma manière
Que la liberté
C'est d'cracher dans la rivière
Ou dans le sentier

Si je chante bleu et rose
C'est que j'ai appris
D'un rossignol pas morose
Qu'était mon ami

Si je sais lécher en outre
Je sais mordre aussi
Je l'ai appris d'une loutre
Et d'un saumon gris

Dans le trou de ma guitare
Y'a comme un agneau
Dans le fond de mes sabots
Y'a comme un renard

Mais de mes années d'école
Je n'ai rien gardé
Ce n'étaient que des paroles
Pour gâcher l'été
J'ai appris à ma manière
Que la liberté
C'est d'cracher dans la rivière
Ou dans le sentier

Quand j'aurai tenu parole
Et bien gagné ma vie
Quand j'aurai mis ma pauvre école
À pauvre profit

J'apprendrai d'un solitaire
À vivre caché
Et d'un quinquagénaire
À me taire

L'ASSASSIN MONDAIN

Madame Béchot de L. est directrice des concerts historiques du 16e arrondissement.

Elle a un hôtel particulier au 16, rue de la Faisanderie.
Après avoir passé la porte cochère et monté les trois marches en grès d'Athènes, on découvre du vrai Louis XVI.

Ce n'est pas la salle de bains noire signée Jean Patou, ni le salon chinois que j'ai le plus aimé;
c'est le piano à queue, autographié par Maurice Ravel avec l'un des premiers «Bic»...

Si je suis son unique locataire c'est à cause de Monsieur D., l'ambassadeur du Canada à Paris qui vient dire bonjour à Madame.

Ah! les aristocrates!

Une femme de soixante-dix ans ne supporte rien après neuf heures du soir...

C'est là que mon goût pour la guitare a commencé.

Les harmonies sympathiques; jouer tellement doux...

Je suis allé vivre à Paris pour conquérir le Québec, mais surtout pour me rapprocher de la poésie, pour donner de l'école au chansonnier.

J'ai frappé un nœud...

Les poètes sont comme des p.d.g. : le yé-yé fait fortune.

Alors, en attendant, on écoute et on rêve.

La vraie solitude, ça n'existe pas.

Dans mon cas, j'arrive à me faire rire au moins une fois par jour.

Pour ce qui est des femmes, au secours!

L'harmonie sympathique; les putes jouent doux.

L'ASSASSIN MONDAIN

La formule était grande
L'invitation jolie
Sur velin de Hollande
Frappé à l'effigie
«Madame est dans l'attente
De votre venue à dix-neuf heures trente
Vingt, rue des Parvenus»
Je n'fais ni un ni deux
Je me loue un «Tuxedo»
Au plus mal et au mieux
J'arrive un peu plus tôt
La sonnette me berce
La porte est en noyer
La servante est négresse
Et les fleurs en papier
La maison est baroque
Le marbre est d'Italie
Le mobilier d'époque
Les tapis d'Algérie
Les lustres d'Angleterre
Et les portraits aussi
Je m'sens loin de ma mère
Et loin de mon pays
Entre ce banc breton
Et ce divan chinois
Ce vrai Napoléon
Et ce faux suédois
J'ai cru être à l'enchère
Mais au dernier moment
Se pointe l'héritière
Dans l'escalier normand

Ah! Madame est embaumante
«Chanel» ou «Vol de nuit»
Sa robe est ravissante
Création «Givenchy»
L'écharpe est de Castille
Les gants sont de Paris
Les bijoux de famille
Les souliers sont vernis
Le bec un peu pincé
La fesse bien serrée
L'élite d'aujourd'hui
A du corps à l'esprit
Je lui fais des courbettes
Et des guili-guili guili-guili
Je joue de l'épinette
«Madame est servie»
Porcelaine de Limoges
Cristal de Baccarat
Chandelier du Cambodge
Dentelles et falbalas
Quelques petits amuse-gueules
Pour mettre en appétit
Pétales de glaïeuls
Langues de canaris
Pigeons, pinsons, pintades
Pains longs, pains ronds, pains courts
Pâtés, paons, piperades
Je vais, je viens, je cours
«Mais c'est sans cérémonie
Vous êtres ici chez vous»
J'aime la modestie
J'aime le bon goût
Et de liqueur en fine

Et de fine en café
La voilà qui s'obstine
À vouloir me montrer
Les salles et les portiques
Les caves et les greniers
Le salon de musique
Et la chambre à coucher
En passant près du lit
On s'y attarde un peu
Je la vois qui frémit
D'un naturel douteux
Soudain elle s'effarouche
Me regarde et bondit
Se jette sur sa couche
Me montre son nombril
Sans être de la haute
Je sais dire merci
L'invité pour son hôte
Se doit d'être poli
Et j'ai mis dans les faits
Les faits que je vous dis
Je vous dis que j'ai fait
Ce que vous auriez dit
J'ai dû forcer la note
Forcer l'hypocrisie
Que le Diable m'emporte
J'ai trop bien dit merci
La pauvre femme est morte
Les deux yeux à minuit
La pauvre femme est morte
Je fus trop poli
Mon récit fit sa ronde
Dans les cercles d'amis

Et les milieux du grand monde
La haute bourgeoisie
Si bien que mon histoire
N'a jamais eu de fin
Je fus cité en gloire
Dans les carnets mondains
Des lettres anonymes
Réclament mes secours
Les hommes pour le crime
Les femmes pour l'amour
Ce que l'intelligence
Ne m'avait pas donné
Je dois à l'indécence
D'avoir compensé
Au seuil de l'impuissance
Au sommet des salons
Je vis pour la défense
De ma réputation
Je fais des politesses
À longueur de journée
Je troque la jeunesse
Pour la célébrité
Je vais de mal en pis
Sans changer mon décor
Je suis la fin du lit
Le boudoir de la mort
Comme un bourreau sans hache
Je suis un assassin
Que les femmes s'arrachent
Pour se donner la fin
Je suis un assassin mondain

Le poète

Je suis la dernière trace de Rimbaud qui traîne à Montparnasse.

Les femmes sont comme au Québec, mais six fois plus nombreuses : les beautés du monde passent toujours par Paris.

J'use mes pompes aux Champs-Élysées, tout l'monde fume des françaises...

Moi, ça me fait tousser.

Dans le mot «nombreux», il faut choisir le nombre- ou bien le -eux;

pour bien chanter, il faut la voix de tête avec la voix des tripes.

Les plus belles aventures que j'ai eues à Paris, c'était avec des Québécoises... et je suis polyglotte!

Le plus intéressant de l'écriture, c'est de s'assassiner : écrire en se voyant mourir, se relire et rire de soi, s'ouvrir les tripes au point d'en être empesté.

Le sang de l'encre fait tomber si bas qu'on n'écrit plus quand on parle de soi...

LE POÈTE

J'ai beau tremper ma plume à même ma blessure
Mais mon âme est sèche comme mes quatre murs
Ma muse a pris le large depuis cent semaines
Je me traîne

Tout est froid, tout est larme et de la même couleur
C'est comme si je n'avais rien à dire
Ma muse n'y est plus

Et le poète a pris de l'encre et du papier
Puis il s'est enfermé comme dedans sa tombe

Et comme un cavalier essouffle sa monture
Il a gravé par tous les meubles et les murs
Toutes les rimes riches qui riment avec muse
Et des cœurs autour

Et dessous le tapis, là où le bois est tendre
Comme si le bois de rose pouvait mieux la prendre
Il a gravé avec sa plume et son couteau
Le nom de son amour

Puis il s'est étendu le cœur sur son couteau
Le torse sur son nom, la bouche sur sa femme,

C'était l'hiver...

Avant de m'assagir

J'échangerais ma santé de fer contre un moral d'acier.
J'ai tous les symptômes d'un maniaco-dépressif.

J'ai rencontré Brigitte B.
À dix heures du matin, personne n'est vraiment «sexy»...

Ah! la vie d'artiste!

Samedi soir avec Simone S., dimanche après-midi en compagnie de Barbara.

Mais le plus beau, c'est que demain je chante à l'Olympia, en première partie des plus beaux yeux du monde, de Marie L.

Je vais écrire avant que ça déborde.

AVANT DE M'ASSAGIR

Avant de m'assagir, avant de jeter l'ancre
De ménager mon cœur, de couver ma santé
Avant de raconter mes souvenirs à l'encre
De vouloir sans pouvoir, de compter mes lauriers

Avant cette saison, avant cette retraite
Je veux sauter les ponts, les murs et les hauts bords
Je veux briser les rangs, les cadres et les fenêtres
Je veux mourir ma vie et non vivre ma mort

Je veux vivre en mon temps, saboter les coutumes
Piller les conventions, sabrer les règlements
Avant ce coup de vieux, avant ce mauvais rhume
Qui tuera mes envies et mes trente-deux dents

Et si je le pouvais je ferais mieux encore
Je me dédoublerais pour vivre comme il faut
Le jour pour ce qu'il est, la vie pour ce qu'elle vaut
Ça c'est mourir sa vie et non vivre sa mort

Je ne veux rien savoir, je ne veux rien comprendre
Je veux recommencer, je veux voir, je veux prendre
Il sera toujours temps et jamais assez tard
D'accrocher ses patins, d'éteindre son regard

Je ne veux pas survivre, je ne veux pas subir
Je veux prendre mon temps, me trouver, m'affranchir
Me tromper de bateau, de pays ou de port
Et bien mourir ma vie et non vivre ma mort

Mais au premier détour, à la première peine
Je me mets à gémir, à pleurer sur mon sort
À penser à plus tard, à calculer mes «cennes»
Et à vivre ma vie et à vivre ma mort

Je cherche votre cou, je vous prends par la taille
On se fait si petit, petit quand on a peur
Je ne suis plus géant, je ne suis plus canaille
Je couve ma santé, je ménage mon cœur

Et puis je me reprends et puis je me répète
Qu'avant cette saison, avant cette retraite
Il faut sauter les ponts, les murs et les hauts bords
Il faut vivre sa vie et non vivre sa mort

Et pendant ce temps-là le printemps se dégivre
Le jour fait ses journées, la nuit fait ses veillées
C'est à recommencer que l'on apprend à vivre
Que ce soit vrai ou pas, moi j'y crois

Modern Hotel

Le choix d'une pute à Paris vient toujours d'une comédienne française.

Moi, ma vie, c'est une folie!

Elle était au vestiaire à l'Olympia.

L'émotion ne s'achète pas mais la tendresse, elle, est une vraie racoleuse...

Et si l'amour était un rêve?

MODERN HOTEL

Je ne sais pas
Comment on en est arrivés là
Mais de fil en aiguille
Et d'alcool en tabac
La porte était fermée
Le lit était défait

Comme on n'était pas nés de la dernière couvée
On n'a pas eu besoin de se faire un dessin
Ça sentait l'épiderme et le contact humain

Mais comme on ne se connaissait ni des lèvres ni des dents
On s'est tourné le dos pour un petit moment
Pas un mot, presque rien
Ni mon nom et encore moins le sien
Et encore moins le sien

Je ne sais pas comment on en est arrivés là
Mais de fil en aiguille, d'atmosphère en climat
Les lèvres étaient mouillées les longs cheveux défaits

Le vent qui voyait tout a fermé le volet
Le volet mon ami a soufflé la bougie
Et le temps qui filait s'est mis à filer doux

Le temps que s'habituent et nos joues et nos fronts
Que déjà se mêlait le plancher au plafond
Souffle court, torse lourd
Comme si on n'avait jamais fait l'amour,
Comme si jamais l'amour

Je ne sais pas comment on en est arrivés là
Mais de fil en aiguille et de pas en faux pas
La porte était fermée le lit était défait

Comme on n'était pas nés de la dernière couvée
On n'a pas eu besoin de se faire un dessin
Un sourire a suffi, un geste de la main

Et moi je me suis remis à l'alcool et au tabac
Tout seul comme j'étais seul avant qu'on en soit là
Pas un mot, presque rien
C'est comme ça quand on revient de loin
Et on se croit malin

Les femmes de trente ans

C'est à l'orée de la trentaine que les femmes acceptent de ne plus avoir seize ans définitivement…

L'amour est bien plus érotique au temps de leur deuxième beauté!

LES FEMMES DE TRENTE ANS

C'est à trente ans
Que les femmes sont belles
Avant elles sont jolies
Après ça dépend d'elles

C'est à trente ans
Que les filles sont belles
Entre pucelle et femme
Et entre chien et loup
Avec un brin d'automne
Au coin des yeux
Elles en savent beaucoup

C'est à trente ans
Que les femmes sont belles
Que les belles sont femmes
Que les femmes sont vraies

Celles qui disent autrement
N'ont pas encore trente ans
Ou bien ne les ont plus
Depuis déjà longtemps

C'est à trente ans
Que les femmes sont belles
Avant on s'en éprend
Après on s'y attache

Mais à trente ans
On s'amourache
Avec un peu d'avance
Avec un peu d'après
La vie fait bien les choses
De temps en temps
Que le temps vous va bien

C'est à trente ans
Que les femmes sont belles
Avant elles sont jolies
Avant on s'en éprend
Après ça dépend d'elles
Ou bien de nous

Rue sanguinet

Je suis comique...

Et pourtant, je n'ai pas beaucoup d'humour!

J'épie une tourterelle triste depuis juin, juillet. Elle a choisi mon épinette pour y tresser son nid.

Son nom vient de son cri d'amour et je comprends pourquoi la nidification se prolonge jusqu'au mois d'août.

Quel appel triste, mais quelle beauté d'oiseau!

C'est le haut-bois...

On a beau être heureux dans l'anche, la joie ne vient jamais.

RUE SANGUINET

Elles sont parties les demoiselles
Qui ornaient le coin de ma rue
Ces toutes belles sentinelles
De toute petite vertu
Ils les ont surprises en pleine jeunesse
En flagrant délit d'immoralité
Je les ai vus leur tripoter les fesses
En les faisant monter dans leur panier crotté
On aurait presque dit des hirondelles
De luxe dans des cages à bon marché
Et on aurait presque dit qu'avec elles
Partait la chaleur de tout un quartier
Depuis ce temps ma rue est restée morte
Mes cinémas se font au ralenti
Je n'entends plus crier devant ma porte
Toute la vie s'ennuie et les maris aussi
Mais la sagesse a de ces succursales
Que seul un régime peut définir
À l'exposition internationale
C'est certain qu'on les fera revenir
Elles entreront comme les bons apôtres
De la joie, de l'œil et de la santé
Mais n'croyez pas que ce sera pour la vôtre
Ce s'ra bien plus pour celle des étrangers
Et pour la mienne aussi
Vous ne s'rez pas de la fête
De l'expo mille neuf cent soixante-sept
Tout le monde n'a pas la chance
Et je le regrette
D'être né dessus la rue Sanguinet

Le jour où tu partiras

J'apprends sur le tas et le tas c'est la scène; la «distanciation», je connais pas encore.

Celui qui chante, c'est le même qui écrit aussi mal qu'il chante. C'est moi, Jean-Pierre F., l'ex-boutonneux ignorant, qui se prend ce soir pour un artiste et que le public attend...

Celui pour qui le rideau s'ouvre et celui qui fait de la musique.

C'est merveilleux! C'est émouvant! Tellement épouvantable la structure du cœur, douloureux le trac; je respire fort, j'entre en courant.

Le cœur me déboule, les jambes me tremblent; la peur, c'est toute une aventure et l'adrénaline tout un «buzz» mais moins troublant que les applaudissements...

Le plus beau geste au monde! Celui qu'on fait depuis qu'on est bébé quand on est content.

Quand on chante, on se sent moins souffrir; et je chante, et je me donne!

Je suis vulnérable et ça saute au cœur; je dis tout sur moi, je n'ai pas d'honneur.

Le plus beau geste dure très long-temps et je me retire sur le plus beau des mots : bravo.

Toutes les loges de théâtre sont minables : généralement contiguës à la chambre des fournaises.

Ça m'est égal puisque j'ai la sensation d'être un imposteur.

J'écris mon nom sur des coins de programmes, des revers de chèques et des paquets de cigarettes pour des filles, des femmes qui sont peut-être belles... mais je les regarde à peine.

Après un concert, il y a tant de questions, celle du sexe étant la dernière.

Je m'endors au bout de la surprise.

Les femmes m'aiment de neuf heures à onze heures du soir, c'est un bon début...

Bravo!

LE JOUR OÙ TU PARTIRAS

Le jour où tu partiras
N'en parle pas d'avance
Pour ne pas que j'y pense
Souris quand tu m'embrasseras

Dis-moi bonjour
Et laisse-moi t'attendre
Jusqu'à toujours
Ou jusqu'à la mi-décembre

D'aucune année
Sans aucun rendez-vous
C'est ainsi entre nous
J'aimerais bien mourir d'amour

Le jour où tu t'en iras
N'emporte rien que j'aime
Laisse tout à la traîne
Comme si tu ne partais pas

Va doucement
Tout comme on prend de l'âge
Et reviens quand
Tu sentiras l'orage

Si c'est ainsi
Je ne t'en voudrai pas
Le jour où partira
Le fin fond de mon âme.

SI JE SAVAIS PARLER AUX FEMMES et ON DÉGRINGOLE

On se pique de connaître les femmes après plusieurs aventures.

J'écris sans m'arrêter, pour apprendre à parler, le scénario d'un film : «Le quatrième pilier de la tour Eiffel».

Je le présente inachevé à Alain Resnais à neuf heures du matin au drugstore des Champs-Élysées.

Je côtoie la gloire et c'est comme l'amour :

le plus grand moment, c'est en montant l'escalier...

SI JE SAVAIS PARLER AUX FEMMES

Si je savais parler aux femmes
Je lui parlerais très doux
La bouche à peine ouverte
Ma main sur ses genoux

Si je savais parler aux femmes
Je lui parlerais si bas
Qu'elle devrait pour m'entendre
Se pencher un peu vers moi

Et mon souffle très chaud
Lui chaufferait le cou
Et mon front trop mouillé
Lui tremperait la joue
Et nos cheveux mêlés
Nos mains moites et nues
Et de bouche à bouche
Enfin, dis-moi, m'aimes-tu?

Si je savais parler aux femmes
Je lui parlerais tout près
Comme un pendant d'oreille
Pareil à un secret

Si je savais parler aux femmes
Je ne dirais presque rien
Parlerais comme à l'église
Avec les yeux et les mains

Et mon souffle très chaud
Lui chaufferait le cou
Et mon bras replié
Lui courberait les reins
Les yeux en baldaquin
Le cœur au grand galop
Et de bouche à bouche
Oui, je t'aime et beaucoup

Si je savais parler aux femmes
Je saurais les garder aussi
Et je sais bien que la mienne
Ne serait jamais partie.

ON DÉGRINGOLE

Parce qu'on a dépassé vingt ans
Qu'on regarde la vie en face
Parce qu'elle a laissé des traces
On se croit plus sensés qu'avant
Depuis qu'on a changé de rue
Qu'on ne croit plus à l'aventure
Qu'on fait du lard à la ceinture
Qu'on est ce qu'on est plus

Moi je te dis qu'on dégringole
Petit à petit on s'effiloche
Depuis qu'on a plus la tête folle
On dégringole

Depuis qu'on ne cherche plus
Qu'on a pris les mêmes allures
Et même la température
Si vrai qu'on ne se touche plus
Depuis qu'il a fallu sauter
De l'amour à la politesse
Que tu n'es plus ma maîtresse
Depuis qu'on s'est trouvés

Moi je te dis qu'on dégringole
Petit à petit on s'effiloche
Depuis qu'on a plus la tête folle
On dégringole

Depuis qu'on est bien comme on est
Au fond d'une horrible machine
Depuis qu'on a courbé l'échine
Que je suis ce que tu voulais
Depuis qu'à force de vouloir
On ne fait plus la différence
Entre ce qu'on fait et ce qu'on pense
Depuis qu'on en est là

Moi je te dis qu'on dégringole
Petit à petit on s'effiloche
Depuis qu'on a plus la tête folle
On dégringole

Avant qu'on y laisse le cœur
Qu'on s'épuise ou qu'on s'enracine
Que je te sois une routine
Je m'en vais vivre ailleurs

Dans quel pays

Octobre soixante-
huit à Paris me
prépare à
soixante-douze
au Québec.

J'ai vu Cohn-
Bendit à la télé ce
soir avec sa
femme, ses trois
chats et ses
enfants :

ils n'habitent
même plus Paris.

Un poète qui fait
de l'argent,
cesse d'être un
poète à ses propres
yeux.

J'ai tout dépensé.

DANS QUEL PAYS

Les hommes s'aidaient à l'ouvrage
Les femmes riaient tout autour
Les enfants qui en avaient l'âge
S'aimaient et se faisaient l'amour

Et l'eau vive de la fontaine
Roulait jusqu'au fond de leurs yeux
Quel soleil coulait dans leurs veines?
Dans quel pays?

Des cloches fleurissaient aux arbres
Les noix poussaient dans les rosiers
Les roses épousaient des rhubarbes
J'étais venu en étranger

Les hommes m'ont offert leurs femmes
Les femmes m'ont donné leurs bras
Quel soleil coulait dans leur âme?
Dans quel pays?

On a dansé, moi qui ne danse jamais
On a chanté, moi qui ne parle jamais
Je te le jure, je n'ai pas rêvé ça

Soigne ton rhume
Finis tes légumes
Un jour peut-être je t'emmènerai
Cueillir des amandes
Quand tu seras grande
Dans ce pays que je retrouverai

Où les hommes décorent leur barbe
Les femmes dorent leurs cheveux
Où les étrangers qui s'attardent
S'étonnent un jour et font comme eux

Un monde où la marée montante
Monte pour bercer les petits
Quand les mères sont des amantes
Dans quel pays?

Un coin sans loi ni tirelipote
Gorgé de bonbons pralinés
Où les soldats font la popote
Pour les gendarmes jardiniers

Un monde où le bonheur abuse
Où il ne pleut que les lundis
Avec mille et une excuses
Dans quel pays?

Nous danserons, moi qui ne danse jamais
Nous chanterons, moi qui ne parle jamais
Et je te jure que je ne rêve pas

Soigne ton rhume
Finis tes légumes
Un jour peut-être je t'emmènerai
Cueillir des amandes
Quand tu seras grande
Dans ce pays que j'inventerai

Avec un ciel Pissaro
Avec les arbres de Gaugin
Et les oiseaux de Picasso

N'oublie pas de te coucher tôt
Je serai là demain matin
Il faut que j'aille à mon boulot
Ça y est j'ai raté mon dernier métro

Je le sais

L'espérance, c'est ma mère qui me l'a laissée.

Aujourd'hui, je suis allé au dix-septième mariage d'Eddie Barclay.

Une belle Française : mince, blonde, jeune et froide. Tout pour une fête.

Et quel plaisir que d'en donner!

Au Japon, j'en ai donné une qu'aucun des invités n'a oubliée.

La véritable étrangère, c'est une Québécoise hors de son pays.

J'ai vu «Le mari de la coiffeuse» et je le comprends très bien :

je suis un «hippie» mais je n'en aime pas la forme...

JE LE SAIS

Pas besoin de m'faire la leçon
Pas besoin de m'faire la morale
De me dire qu'en règle générale
On ne fait plus ce genre de chanson

Je le sais

Et qu'au niveau des sentiments
Je suis arriéré de vingt ans
Que l'amour c'est plus c'que c'était
Qu'on ferme sa gueule et qu'on le fait

Je le sais

Pas besoin que vous m'racontiez
Que le romantisme est périmé
Que moins y'a de sentimentalité
Le plus y'a de coins dans son grenier

Je le sais

Mais moi j'aime encore ma femme
C'est fou, je sais des fois
Je me mets à rougir rien que d'y penser
C'est fou ce qu'on se sent démodé
Quand on aime depuis longtemps la même femme

Pas besoin de m'dire qu'aujourd'hui
Le cri du cœur ça ne s'écrit plus
Qu'il vaut mieux chialer sur la vie
Que de la porter jusqu'aux nues

Je le sais

Que le bonheur ne touche personne
Et qu'il faut des calamités
Pour que ma concierge frissonne
Ou pour que vous vous émouviez

Je le sais

Qu'il faut prendre le mors aux dents
Mettre le feu aux sentiments
Et quand on est à court d'idées
Sucer un bonbon de LSD

Je le sais

Mais moi j'trouve la vie jolie
C'est fou je sais
Des fois j'me mets à rougir
Rien que d'y penser

C'est fou ce qu'on se sent démodé
Quand on vit calmement sa vie
Sans mélodrame
Pas besoin de vous égosiller
De m'chanter sur les huit octaves
Que j'risque de passer pour un cave
Avec ces anciennes idées

Je le sais

Qu'aujourd'hui on ne s'attendrit plus
Ça fait cul-cul, ça fait fleur bleue
Qu'il faut pas oublier non plus
Qu'ça fait des rides autour des yeux

Je le sais

Qu'il faut être un peu moins sincère
Les temps ont tellement changé
Qu'on ne peut même plus parler de sa mère
Sans passer pour un pédé

Je le sais

Mais moi j'aime encore ma mère
C'est fou je sais
Des fois j'me mets à rougir
Rien que d'y penser
C'est fou ce qu'on se sent démodé
Quand on a envie d'embrasser
Ces vieilles dames

Pas besoin de m'faire la leçon
Pas besoin de m'faire la morale
De me dire qu'en règle générale
On n'écrit plus de cette façon

Je le sais

Qu'êtes-vous devenues mes femmes?

Bonne chasse, aujourd'hui, vingt mouches en dix-huit coups de tapette.

Le meilleur appât pour la mouche, c'est une autre mouche...

Est-ce que c'est mal aimer les femmes, que d'en vouloir aimer plusieurs?

J'ai invité mes musiciens québécois à me rejoindre à Paris en leur vantant la femme française.

J'ai bien fait ça : ils ont tous baisé le premier soir avec des putes sans le savoir.

Lise T., ma deuxième femme, m'a jeté un sort en me criant que je finirais ma vie tout seul comme un chien.

Pour m'exorciser, j'ai acheté un caniche miniature à Colette S., la plus frisée des «strip-teaseuses» du «Crazy Horse».

Le chien est mort au bout d'une semaine. Je la convaincs du mauvais signe et on ne se revoit plus.

QU'ÊTES-VOUS DEVENUES MES FEMMES?

Qu'êtes-vous devenues mes femmes
Vous qui m'avez tant aimé
Dans quel coin cachez-vous vos larmes
Depuis qu'on s'est séparés
Dites, qu'êtes-vous devenues?

Toi Rose, Rose ma première
Et pour qui j'étais le premier
Qui me mêlait à tes prières
Rose que j'ai tant fait pleurer

Ce n'étaient que larmes de femmes
Un étranger les a séchées
J'ai pleuré plus que j'ai souffert
Il avait de beaux grands yeux verts
Et vous viviez un grand amour
Et nous vivions un grand amour

Toi Julie, Julie ma seconde
À qui j'ai fait tant de chagrin
Toi qui étais si seule au monde
Lorsque j'ai pris le dernier train
Toi Julie, qu'es-tu devenue?

Toi Marie, Marie ma troisième
Qui l'a remplacée dans ma vie
Qui voulait donner la tienne
Le jour où je suis parti

Après toi il en fut un autre
Et après lui un autre aussi
Moi je vais d'un amour à l'autre

Comme Rose et comme Julie
Comme Rose et comme Julie
Julie, Marie, Rose et les autres

Qu'êtes-vous devenues mes femmes
Vous qui m'avez tant pleuré
Qu'êtes-vous devenues mes femmes
Vous aurais-je si mal aimées?
Ou vous ai-je si mal connues?

Anne qui voulait s'exiler
Jeanne qui voulait se foutre à l'eau
Louise qui voulait se cloîtrer
Et moi qui pleurait comme un sot

C'était un merveilleux orage
C'était un merveilleux chagrin
Il allait bien à mon visage
Et moi je m'en souviens très bien
C'était un beau chagrin d'amour
C'était un beau chagrin d'amour

Et toi Anne ma dernière
S'il fallait que je parte un jour
Choisirais-tu un autre amour
Ou bien le fond de la rivière

Moi je n'en suis plus aujourd'hui
À mon premier chagrin d'amour
J'ai consolé Rose et Julie
Et Jeanne et Marie tour à tour

Tu m'attends depuis si longtemps
Longtemps et je t'attends toujours.

M'aimeras-tu ou ne m'aimeras-tu pas?

Ce n'est pas le cœur brisé que nous partons faire la tournée rêvée des amateurs de bouffe : de l'Espagne à l'Italie en plein été… La Côte d'Azur en vedette américaine de Mireille M.

Les stades et les arènes antiques de Nîmes et de Béziers à huit heures du soir après les corridas de l'après-midi.

Ma loge est dans l'infirmerie.

Je m'aperçois que j'ai grossi en me mettant tout nu devant la madone des matadors.

C'est dans les terres que la cuisine française excelle; le cassoulet de Castel Nodari, Viviane F. du pont d'Avignon…

Le plus misérable aspect du remords c'est d'avoir une fille, Julie F., à qui j'écris des lettres que je ne poste pas.

Dans la génétique des femmes, il y a ce devoir de faire souffrir un homme.

Autant de fois qu'a pleuré sa mère, le matador est un ancien picador…

À Madrid, j'ai vu El Cordobes se faire huer.

M'AIMERAS-TU OU NE M'AIMERAS-TU PAS?

M'aimeras-tu ou ne m'aimeras-tu pas
Seras-tu mes peines ou seras-tu mes joies
Plus tu te balances plus je reste là

J'attends que tu penches jusque dans mes bras
J'ai un cœur et des lèvres grasses
Qui n'attendent qu'un de ces jours
Où avant que tu me dépasses
J't'aurai raconté mes amours

M'aimeras-tu ou ne m'aimeras-tu pas
Seras-tu mes peines ou seras-tu mes joies
Plus tu te balances plus je reste là

J'attends que tu penches jusque dans mes bras
En autant que je me rappelle
J'ai cent ans et plus de soupirs
J'en ai autant que tu es belle
J'ai deux cent quatre-vingt désirs

M'aimeras-tu ou ne m'aimeras-tu pas
Seras-tu mes peines ou seras-tu mes joies
Plus tu te balances plus je reste là

J'attends que tu penches jusque dans mes bras
Tu ne perds rien pour attendre
Mais quand je t'aurai convaincue
Ne crois pas pouvoir te déprendre
Quand je t'aurai, je t'aurai eue

M'aimeras-tu ou ne m'aimeras-tu pas
Seras-tu mes peines ou seras-tu mes joies
Plus tu te balances plus je reste là

J'attends que tu tombes jusque dans mes bras
Je suis loin d'être à bout de souffle
Et j'ai du temps plus qu'il m'en faut
J'ai mis mes amours en pantoufles
Bon dimanche et à bientôt

M'aimeras-tu ou ne m'aimeras-tu pas
Seras-tu mes peines ou seras-tu mes joies
Plus tu te balances plus je reste là

J'attends que tu tombes dans mes bras

LA MORT DU CERF D'AMÉRIQUE

Après John, Bob est assassiné.

Si ça continue, les Beatles vont y passer; les fans tuent leurs idoles...

Je n'aurai jamais plus d'amis chasseurs, qu'ils tirent au revolver ou à la dactylo.

Malheureux! Je me prends au sérieux...

LA MORT DU CERF D'AMÉRIQUE

La forêt s'engourdit
Les feuilles bougent à peine
Ni cailles, ni perdrix
Le silence est obscène

C'est la vie qui s'en va, dis
Ou c'est la mort qui vient, dis
Le cerf ne l'a pas su
Quand le chasseur l'a vu

Et d'un seul coup
Le sang jaillit en mille faces
C'est le sang de sa race

Le cerf n'ira pas loin
Il n'ira pas plus loin
Que les bras de sa biche
Déjà le cri des chiens
Chicanent sur sa piste

Je vais m'étendre ici
Je ne me battrai point
Pour que ma chair soit tendre
Et n'être pas mort pour rien

On a posé ses bois
Sur un mur héroïque
Et gravé tout en bas
Dernier cerf d'Amérique

Je t'aime s'il n'est pas trop tard

L'amour ronronne comme un enfant fort.

Et celles-là que l'on perd, c'est avec décision.

Même une belle chanson d'amour est une mauvaise excuse…

JE T'AIME S'IL N'EST PAS TROP TARD

Pour ces heures et ces soirées
Que tu as passées à m'attendre
Un peu par la fenêtre, un peu dans l'escalier
Pour tous ces repas préparés
Que je n'suis jamais venu prendre
Je t'aime

Pour tous nos rendez-vous manqués
Sans excuses et sans anémones
Un peu pour mes amis, beaucoup pour tes amis
Pour toutes tes nuits endormie
La tête sur le téléphone
Je t'aime

Pour mes mensonges mal tournés
Pour tes silences convenus
Mes retours sur le bout des pieds
Tes larmes sur le bout des yeux
Pour ta fausse innocence
C'est toi! je n'attendais pas

Pour nos dîners en tête à tête
Où l'on se retrouvait à treize heures
Un peu pour nos amours, un peu pour l'addition
Que j'ai dû payer forcément
En vendant la table et la chaise
Je t'aime

Pour tout ce que je t'ai promis
Et dont tu n'as jamais vu l'aube
Un peu pour aujourd'hui, beaucoup pour aujourd'hui
Pour tout ce que j'ai négligé
Tes cheveux clairs tes yeux sombres
Je t'aime

Pour les jours où je ne saurai plus
Si je t'aime ou ne t'aime plus
Je t'aime
Les mauvais jours qui reviendront
Et pour nos filles qui auront
Les mêmes problèmes
Je t'aime s'il n'est pas trop tard
S'il n'est pas trop tard

Un peu plus haut, un peu plus loin

Les chanteurs et les musiciens du monde entier fument du «pot».

Comme Verlaine de l'opium, Dali du haschisch et la «madone-prie-Notre-Dame» de l'absinthe.

J'ai trente-sept ans et je ne connais de mon intérieur que ce que l'alcool veut bien libérer.

Vingt minutes d'euphorie pour six heures d'angoisse...

La peur de l'écriture, la chienne de moi.

Ce soir-là je me suis défoncé pour sortir le plus pur de ma naïveté.

Straight comme un œuf!

Sobre comme Jean L.

Un trip fait au naturel, au fil de la mauvaise herbe et de l'acide gastrique.

Tout à fait à jeun, mais pas tellement lucide, je voulais dire bonjour en faisant des adieux...

UN PEU PLUS HAUT, UN PEU PLUS LOIN

Un peu plus haut un peu plus loin
Je veux aller un peu plus loin
Je vois comment c'est là-haut garde mon bras
Mais tiens ma main
Un peu plus haut un peu plus loin
Je peux aller encore plus loin
Laisse mon bras mais tiens ma main
Je n'irai pas plus haut qu'il faut

Encore un pas encore un saut
Une tempête et un ruisseau
Prends garde, prends garde j'ai laissé ta main
Attends-moi là-bas je reviens
Encore un pas un petit pas
Encore un saut
Là-haut si je ne tombe pas
Non, j'y suis, je ne tombe pas

C'est beau, c'est beau
Si tu voyais le monde au fond là-bas
C'est beau, c'est beau
La mer plus petite que soi
Mais tu ne la vois pas

Un peu plus loin un peu plus seul
Je ne veux pas être loin tout seul
Viens voir ici comme on est bien
Quand on est haut oh! comme on est bien

Un peu plus haut un peu plus loin
Je ne peux plus te tenir la main
Dis-moi comment j'ai pu monter
Comment descendre sans tomber

Un peu plus haut un peu plus fort
Encore un saut essaie encore
Je voudrais te tendre les bras
Je suis trop haut tu es trop bas

Encore un pas un petit pas
Tu es trop loin je t'aime
Adieu, adieu je reviendrai
Si je redescends sans tomber

C'est beau, c'est beau
Si tu voyais le monde au fond là-bas
C'est beau, c'est beau
La mer plus petite que soi
Mais tu ne me vois pas

Un peu plus haut un peu plus loin
Je vais aller encore plus loin
Peut-être bien qu'un peu plus haut
Je trouverai d'autres chemins

C'est beau, c'est beau
Si tu voyais le monde au fond là-bas
C'est beau, c'est beau
La mer plus petite que soi
Mais tu ne me vois pas

Le petit roi

J'ai le mal du son...
La «musicalité» française ne me convient plus.

Michel R. est le chef d'orchestre de Robert C. qui lance des cymbales à l'Olympia.

Je l'invite chez moi, au 42 rue George V en face de «Fouquet's», avec un «dime» de hasch à la crotte de chameau.

On s'est mis propres, il a allumé l'encens puis il a bourré une pipe à eau.

Je savais ce que je faisais en inhalant...

Rien!

Ça ne m'a rien fait, sauf que j'ai pris ma guitare en même temps qu'il a pris la sienne.

C'est avec la lucidité des ignorants que nous avons écrit «Le petit roi» cent vingt fois d'affilée.

Sans mémoire et sans responsabilités, je vous écris ce soir à l'élixir de la rue Chambord : la bière «tablette»...

LE PETIT ROI

Dans mon âme et dedans ma tête
Il y avait autrefois
Un petit roi
Qui régnait comme en son royaume
Sur tous mes sujets
Beaux et laids
Puis il vint un vent de débauche qui faucha le roi
Sous mon toit
Et la fête fut dans ma tête
Comme un champs de blé
Un ciel de mai

Hey
Je ne vois plus la vie de la même manière
Hey
Je ne sens plus le temps me presser comme avant

Hey boule de gomme
S'rais-tu dev'nu un homme
Hey boule de gomme
S'rais-tu dev'nu un homme

Comme un loup qui viendrait au monde
Une deuxième fois
Dans la peau d'un chat
Je me sens comme une fontaine
Après un long hiver
Et j'en ai l'air
J'ai laissé ma fenêtre ouverte
À sa pleine grandeur
Et je n'ai pas eu peur
Dans mon âme et dedans ma tête il y avait autrefois
Un autre que moi

Je ne fais plus l'amour de la même manière
Hey
Je ne sens plus ma peau me peser comme avant

Hey boule de gomme
S'rais-tu dev'nu un homme
Hey boule de gomme
S'rais-tu dev'nu un homme

Tu diras aux copains du coin
Que je ne reviendrai plus
Mais n'en dis pas plus
Ne dis rien à Marie-Hélène
Donne-lui mon chat
Elle me comprendra
J'ai laissé mon jeu d'aquarelles
Sous le banc de bois
C'est pour toi
Dans mon âme et dedans ma tête il y avait autrefois
Comme un petit roi

Hey boule de gomme
S'rais-tu dev'nu un homme
Hey boule de gomme
S'rais-tu dev'nu un homme

Hey boule de gomme
S'rais-tu dev'nu un homme
Hey boule de gomme
S'rais-tu dev'nu un homme

Y' A DES JOURS

*«Comment aimer
George Sand?»
se demandait
Chopin en
embrassant Liszt
sur la rue des
hommes qui font
de la «Place
Blanche»
le boulevard
«Saint-
Gonorrhée».*

*Le plus beau
bordel du monde,
c'est sa chambre à
coucher...*

Y'A DES JOURS

 a des jours où on penche
Y'en a d'autres où on plie
Y'a ceux où on flanche
Moi j'ai flanché

Y'a des jours où il vente
Y'en a d'autres où il pleut
Il pleuvait dans ma chambre
Et j'ai flanché

Ah! j'étais si bas ce jour-là
Que je ne faisais pas d'ombre
J'étais si seul ce jour-là
Que je ne pouvais pas descendre plus bas

Il fallait que je le dise
Je l'ai dit à la rivière
Elle m'a si bien écouté
Que du haut du pont
Je m'y suis jeté

Ah! que j'étais bien dans ses bras
Je me suis laissé descendre
Au plus creux de son lit
Elle n'était pas bien grande
Je me suis plié
Et je me suis laissé prendre
Comme on m'a jamais pris
Moi qui veux toujours prendre
Je m'suis donné

Ah! que j'étais bien dans ses bras
Si bien à marée haute
Qu'au plus large de ses côtes
Je m'suis laissé couler

Je l'ai dit à la rivière
Elle m'a si bien écouté
Que du haut du pont
Je m'y suis jeté

Ah! que j'étais bien dans ses bras
Y'a des jours où on coule
Jusqu'au plus profond
Sans crier au secours

JE REVIENS CHEZ NOUS

Il ne faut qu'une seule chanson pour devenir vedette.

Plus elle est belle, mieux on s'inscrit dans la tradition.

Chanter pour ne pas mourir et partir en chantant...

Pour moi la classe est terminée; je ne laisse que Marc T. en quittant Paris, un musicien qui jouait mieux du mot que de la contrebasse.

JE REVIENS CHEZ NOUS

Il a neigé à Port-au-Prince
Il pleut encore à Chamonix
On traverse à gué la Garonne
Le ciel est plein bleu à Paris

Ma mie l'hiver est à l'envers
Ne t'en retourne pas dehors
Le monde est en chamaille
On gèle au sud on sue au nord

Fais du feu dans la cheminée
Je reviens chez nous
S'il fait du soleil à Paris
Il en fait partout

La Seine a repris ses vingt berges
Malgré les lourdes giboulées
Si j'ai du frimas sur les lèvres
C'est que je veille à ses côtés

Ma mie j'ai le cœur à l'envers
Le temps ravive le cerfeuil
Je ne veux pas être tout seul
Quand l'hiver tournera de l'œil

Fais du feu dans la cheminée
Je reviens chez nous
S'il fait du soleil à Paris
Il en fait partout

Je rapporte avec mes bagages
Un goût qui m'était étranger
Moitié dompté, moitié sauvage
C'est l'amour de mon potager

Fais du feu dans la cheminée
Je reviens chez nous
S'il fait du soleil à Paris
Il en fait partout
Fais du feu dans la cheminée
Je rentre chez moi
Et si l'hiver est trop buté
On hibernera

JAUNE

«Je reviens chez nous» est encore plus sincère que je ne l'aurais cru...

Le plus surprenant c'est le succès qui s'ensuit...

Les francophones du monde entier la connaissent, tous les accordéonistes de France la jouent.

Nana Mouskouri l'enregistre en sept langues tandis que les chanteurs et chanteuses, de Port-au-Prince à Caraquet, me font l'honneur de l'inclure à leurs tours de chant.

Après quatre ans d'école française, la gloire survient...
mais je ne suis pas là pour la déguster.

Je suis allé à Paris pour conquérir le Québec et c'est à la Place des Arts que je vais me rassasier.

Quel miracle!

Les Français sont persuadés que c'est une chanson française mais les Québécois savent bien, eux, que c'est de moi.

J'ai fait les paroles et la musique dans un bel hôtel du XVIe arrondissement, en pensant à Montréal...

C'est sans doute en le sachant que les Québécois ont fêté mon retour avec autant de fébrilité.

Je me défais de mon accent parisien en me plongeant dans le «tabarnacos» : je m'achète un nouveau «char», je me réhabitue au pain «Weston», mais je ne succombe pas au joual.

L'album «Jaune» a quelque chose qui tient de la magie; ça se voit sur le public et sur moi-même.

Je suis tellement bien entouré! Bien sûr, il y a des semeurs de merde, mais je ne fais pas éventail.

Mon éditeur phonographique français refuse de sortir «Jaune» en France : un sous-fifre a décrété que c'était un disque prétentieux.

Monsieur Barclay s'est excusé trop tard…

J'avais quitté la «France show-biz» pour toujours.

Sing Sing

Je rencontre
André P., un
technocrate de
Verdun qui innove
dans l'art de
l'enregistrement
audio.

Je lui dois
beaucoup...
Il faut tout avoir
une fois de temps
en temps mais
c'est à tout
dépenser que la
fortune arrive.

Il y a beaucoup
d'algèbre dans la
croix de Saint-
André...

Le studio Morin-
Heights est à la
mode.
Garfunkel vient
m'écouter chanter
«Le petit roi»;
il vient de quitter
Simon, il est
triste.

Au restaurant, je
demande à Mick
Jagger s'il est le
«leader» des
«Rolling Stones».
Je l'ignore
toujours.

Encore au restau-
rant, Cat Stevens
bondit en mar-
monnant que le feu
est la plus belle des
choses au monde.
Je l'assoie en
susurrant que c'est
l'eau.

Il est entré chez
les sœurs. Je suis
un empirique...

J'écris une chan-
son avec
«Nazareth».

Entre deux plaies de lit à l'hôtel Laurentien, Yoko et Lennon ont dit que Jaune était «the best» avant d'écrire «Give peace a chance».

«Le Studio» est un des points de rendez-vous mondiaux et moi, je suis un «local»...

SING SING

Je sors de Sing Sing
7494 nuits
Seul
Ça dispose un homme

Je voudrais une chambre avec un lit double, un gin double
De la brillantine
De l'eau de cologne
Et ma clé

Je sors de Sing Sing
Je reprends ma vie comme je l'ai laissée
Tout nu
Une rosette dans mon lit
L'hiver peut neiger
L'été aussi
Rien ne peut plus me désoler
Je ne veux rien que je n'ai jamais eu
Je n'ai besoin qu'un peu d'air et qu'un peu d'amour
Le temps m'a peut-être abîmé un peu
On baissera tous les abat-jour

Je sors de Sing Sing
Ah! que c'est long vingt ans
Sing Sing
Sing Sing
Song Sing, sing sing sing

Quand on aime on a toujours vingt ans
Quand on aime on a toujours vingt ans

Et l'hiver a neigé
Et l'été aussi
Et je suis désolé d'attendre
Comme à Sing Sing
7494 nuits
Seul
Et ça continue

Je pense à Sing Sing
Je pense aux copains
À Gaston, à Dédé
Qui vont sortir
Dans quelques temps
Faudrait les mettre au courant
De pas courir
Qu'ici on attend pas longtemps
J'vais retourner leur raconter
Nourri logé
Comme ça s'est bâti en vingt ans
Et à quoi il faut s'attendre
Quand on s'absente
Pour un petit moment

Je reviens à sing Sing
Ah! que c'est long vingt ans
Long comme les heures
Que j'ai vécues en t'attendant

GOD IS AN AMERICAN

Buddy F. est un musicien tellement sincère qu'il va s'écœurer de la chanson.

Les tomates mûrissent autant croupies sous leurs feuilles que face au soleil : c'est la chaleur qu'il faut quérir.

La sienne m'a fait profiter.

Je suis nu-pieds dans mon jardin de rêve et j'ai du mal à être heureux, à cause de tout ce qu'il me faut quitter pour y parvenir.

C'est fou d'être le premier sans être le meilleur.

God is an American
God is an American
God is an American
God is an American
Nine der gott is deutch
Nine der gott is deutch
Nine der gott is deutch
Nine der gott is deutch
Niet bog vedj rousky
Niet bog vedj rousky
Niet bog vedj rousky
Français, Française
Dieu est un Français
Dieu est un Français
Dieu est français
Et Dieu leur répondit :
Vous pensez que c'est facile de choisir
Avec vos grand'gueules
Vous pensez que c'est facile d'être
Un dieu, un homme, un saint esprit aussi
Y'a des fois je mettrais le feu dans tout ça
Comme j'ai fait à Sodome
Ou je ferais le coup de la marée
Comme j'ai fait à Noé
Et s'il faut que je vous dise
Dans votre vocabulaire
Vous m'faites...
Et puis vous faites de la peine à saint Pierre
Et vous faites pleurer vos pères
Vos mères, vos frères, vos sœurs
Et vous me faites de la peine itou

God is an American
God is an American
Nine der gott is deutch
Nine der gott is deutch
Français, Française
Dieu est un Français
Dieu est un Français
Dieu est français

Vous pensez que c'est facile de dormir
Avec vos grand'gueules
Vous pensez que c'est facile
D'être ici ailleurs et partout à la fois
Y'a des fois je recommencerais tout ça
Sans Ève et sans Adam
Que des chiens et des chats
Que des champs et des bois
Et s'il faut que je vous le redise
Dans votre vocabulaire
Vous m'faites...
Et puis vous faites de la peine à saint Pierre
Et vous faites pleurer vos pères
Vos mères, vos frères, vos sœurs
Et vous me faites de la peine itou
Ah! y comprendront jamais
Allez saint Pierre
Coupe

Mon ami J.C.

Écrire n'importe
quoi c'est mieux
que sur n'importe
qui…

Tout d'un coup
que la vulgarité
serait de la poésie?

Il faut que je
mérite tous ceux
que j'ai laissé
tomber.

MON AMI J.-C.

La vie m'aime et je l'aime autant
L'univers m'appartient
La vie c'est ma vie
Et le temps, c'est mon temps

Souris Jésus-Christ
Souris un peu
La vie ça vaut bien ça
Souris Jésus-Christ
Souris un peu
La vie c'est beau

La vie ça vaut
La peine de se détendre
Le temps de se regarder
Ça vaut le temps de s'attendre
Ça vaut le temps d'y penser longtemps
La vie ça va comme on mène
Ça s'en va où on s'en va
Ça vaut le temps de s'étendre
Ça vaut le temps d'y penser longtemps

La peine de se détendre
Le temps de se regarder
Ça vaut le temps de s'attendre
La peine de se parler longtemps
La vie ça va comme on mène
Ça s'en va où on s'en va
Ça vaut le temps de s'étendre
Ça vaut le temps de s'attendre
Ça vaut le temps d'y penser longtemps

Souris Jésus-Christ
Souris un peu
La vie ça vaut bien ça
Souris Jésus-Christ
Souris un peu
Souris

Un Pepsi
Pour mon ami Jésus-Christ
Y'a rien d'trop beau
Pour mon ami Jésus-Christ

Un Pepsi
Dans un calice en papier ciré
Y'a rien d'trop beau
Pour mon ami Jésus-Christ
Tu reviendras Jésus-Christ
Pensez-y un peu plus longtemps
T'as des amis Jésus-Christ

À 100 MILLES À L'HEURE SUR LA ROUTE 11

La Harley-Davidson est le plus gros vibrateur du monde...

SUR LA ROUTE 11

À cent milles à l'heure
Sur la route 11
Démaquillé
Sur une 750cc
On pense à rien
On parle à sa roue d'en avant
Ou tu prends la courbe
Ou y'a personne qui la prend
Des bras par devant
Des bras par derrière
La tête en fibre de verre bleu
Vert-bleu

À cent milles à l'heure
Sur la route 11
Hier est au niveau des deux carburateurs
Demain est à l'heure de macadam et de
Caoutchouc
Le beau moment
Entre avoir peur
Et aller jusqu'au bout
Le feu du vent
Le son des deux
Une rose dans le dos

À cent milles à l'heure
Sur la route 11
Y'a des pensées
Qui pardonnent pas beaucoup
Comme un peuplier donne la vie immuablement

Comme il la reprend sur la 11
Par son immobilité
Des bras par devant
Des bras par derrière
La tête ailleurs
Il fait beau

On a modéré
Dans un champ de blé
On l'a dévalé

À trente milles à l'heure
On s'est trouvés à tout voir de plus près
Pendant que nos chevaux soufflaient
Bonjour le jour
Bonjour le ciel
Bonjour les yeux fermés
Son bras dans mon cou
Ma main sur ses jambes

À zéro milles à l'heure
Y'a des pensées qui pardonnent pas beaucoup
Comme un besoin de s'arrêter

Bonjour le blé
Bonjour le pain
Bonjour le vin de blé
Tous les trois tout nus
Tous les trois ensemble

Et sous le peuplier

À six cents milles à l'heure
Sur la route 11
Les portes s'ouvrent
Et les oiseaux s'envolent
À six cents milles à l'heure
Sur la route 11
Le bout du monde
Est à portée de soi

Le dimanche en plein été
Les maisons sont comme des sacs de thé

Thé vert

Mon ami

Franck D.,
l'orgueilleux le plus
fort de ma généra-
tion, est alité par
un cancer du
cartilage.

Je lui ai offert un
revolver, il m'a
envoyé chier même
quand j'ai proposé
de tirer...

Je chante «Un
peu plus haut, un
peu plus loin» à la
Place des Arts, la
chanson qui
m'envoie à
l'entracte.

J'oublie mes mots
une première fois.

Je m'excuse, je
reprends la
chanson.

Je ne sais pas ce
qui m'arrive :
encore un blanc.

Je m'excuse, je
sors coté jardin,
dans les vapes.

Francine C. est
là, blanche comme
sa mère :
«Franck D. est
mort pendant ta
chanson.»

C'était sa
favorite...

Le soir-même, au
motel Alfred, la
piscine défonce et
les appartements
du dessous sont
complètement
inondés.

Sauf le mien.

Il y a de ces morts
qui ne perdent pas
la vie.

MON AMI

Quand mon ami s'est fait mal
Moi j'ai eu mal aussi
Quand mon ami a eu peur
Moi j'ai eu peur pour lui
Quand il m'a fait demander chez lui
J'étais déjà là
Quand il a dormi nous avons veillé
Ses amis et moi ensemble

Quand mon ami s'est fait mal
J'ai pris un coup de vieux
Quand il a eu du chagrin
J'en ai eu pour les deux
Quand il a plié le genou droit
Moi j'ai mis le mien
J'aurais mis les deux mais il n'est pas chien
On s'est relevé ensemble

Quand il fut mieux
Qui c'est qui était le plus heureux?
C'est moi
Revenu comme avant
Qui c'est qui était content?
C'est moi

J'AI NEUF ANS

Gilles T. boit du gin avec sa soupe. Je l'initie à la Porsche et au Sauternes.

Il baise ma blonde et se tue dans son propre avion…

Je n'ai pas pleuré ce soir-là : ma mère est morte deux jours avant.

J'AI NEUF ANS

C'est que je suis né en '63
D'une femme que je n'oublierai jamais
Et de quelques amis
Je m'suis baptisé bien des fois
J'ai communié à quelques divans
Et maintenant
Et maintenant
Je fais mes classes
J'apprends
À lire et à compter
À m'ouvrir sans perdre mon âme
Le présent et le singulier
J'apprends à prendre et à laisser
J'apprends
À parler droit debout
Et à traverser l'orage
Je prends le temps d'écornifler
J'apprends à me déséduquer
Et je comprends
Mais pas tout

C'est que je suis né en '63
D'un coup de pouce que je n'oublierai jamais
Et de quelques envies
Je m'suis évadé quelques fois
J'ai mis mon poing dans quelques carreaux
Et maintenant
Et maintenant
J'attends
J'attends

On se connaît on se comprend
Et je sais où sont mes limites
Et tout ce qui doit m'arriver
M'arrivera au bon moment
J'attends
Je n'aurai pas toujours neuf ans
Et quand j'aurai eu mes quatorze ans
J'aurai vécu deux fois ma vie
Si je suis resté qui je suis...
Je sais
Je n'aurai pas toujours neuf ans
À moins de revenir au monde
Et pourquoi pas?
Et pourquoi pas?

Et pourquoi pas?

LE SOLEIL EMMÈNE AU SOLEIL

C'est merveilleux d'être une vedette : je joue le triste sur une colonne de discothèque et les «consoleuses» se pointent à tout coup.

Si le but primordial de ma carrière était d'avoir des femmes, alors, j'ai réussi ce mois-ci.

Au hockey, mon premier disque était une pomme de route...

J'aime beaucoup les chevaux.

LE SOLEIL EMMÈNE AU SOLEIL

Partir quelque part pour partir
Pas pour fuir
Ni changer
Pas pour s'en aller

Aller quelque part s'en aller
Retrouver
L'air et le pollen
Je t'aime

Le soleil emmène au soleil
Et la vie s'élargit pour autant
Sur quatre continents

Au soleil

Partir quelque part pour partir
Comme on naît
Comme on glisse
Et recommence

Aprendre à vivre en soi
Continuer
Et parler beaucoup
Et se donner tout à fait

Le soleil emmène au soleil
Et le jour au midi
Et les enfants jouent avec l'hiver

Le soleil emmène au soleil
Et la pluie se répand
Quelque part dans un autre univers

Oh! comme c'est beau
Vu d'en haut

Oh! comme c'est beau
Vu d'en haut

CE QU'ON DIT QUAND ON TIENT UNE FEMME DANS SES BRAS

«Top ten» à la radio, «top ten» au lit!

Rien n'est plus difficile à soutenir qu'un grand succès.

Même chose pour l'amour :

le désir, c'est la musique.

CE QU'ON DIT QUAND ON TIENT UNE FEMME DANS SES BRAS

Faudrait que je le dise
Mais je ne sais pas comment
On dit quand on veut dire ces choses

Faudrait que je le dise
Je le dirai peut-être jamais
Ce qu'on dit quand on tient une femme dans ses bras

Ah! mais c'est difficile à dire
Je t'aime

J'aimerais mieux l'écrire
J'aimerais mieux le mimer
Ce qu'on dit et que je n'peux pas dire

Faudrait que je le dise
Et un jour je le dirai
Ce qu'on dit quand on tient une femme sur soi

Ah! mais c'est difficile à dire
Je t'aime

Je t'aime
Je t'aime
Je t'aime
Je t'aime
Je t'aime

Le monde est parallèle

En studio, on enregistre à l'américaine : pas de prix pour le soleil!

Paul B. se fend l'âme sur mon piano à queue pendant que la mienne se tasse pour laisser passer l'inspiration pure.

J'ai embrassé Clémence D., Renée C., France C., et, mises à part Ginette R. et Diane J., je n'ai pas d'amis vedettes.

Je prends toujours le plancher,
je les fais rire...

mais ça les fait chier.

LE MONDE EST PARALLÈLE

On dirait que je suis déjà venu ici
On dirait que j'ai déjà tout vu comme c'est là
Il fait jour le jour, il fait noir le soir
Chez nous c'est tout à fait comme chez moi

Deux fois le tour du monde
Cent fois le tour de soi
Pour en arriver où on en arrive

Chez vous c'est tout à fait comme chez moi

Le monde est parallèle
Le monde est parallèle

On divague sous les mêmes étoiles
On arrive au même port
Un monde de différences
Le monde est en instance de
Divorce

Assis sur la même roche
Poussés vers le même soleil
Tant qu'à faire le même voyage
Vu qu'on est pareils
Faisons-le ensemble

Je suis sûr d'être déjà venu jusqu'ici
Et d'avoir vécu un moment comme celui-là
Il fait jour le jour, il fait noir le soir
Viens t'allonger contre moi pour voir

Le monde est parallèle
Le monde est parallèle

Mon frère

De tous les modes musicaux, c'est le «soul» que j'aime le mieux.

C'est plus évident dans mes paroles que dans ma musique.

«Swinger»,

«Cooker»,

«Driver»,

«Groover».

Do, fa, sol,

ré, mi, la.

Comme au début, mais sur des «ball bearings».

Le studio est dans une ancienne église et les églises me dépriment.

MON FRÈRE

De temps à autre un copain
De temps en temps un ami
Dans ma vie mon frère
Qui revient quelques fois
Séjourner dans ma tête
Qui me prend par la main
Quand j'en ai besoin
Mon frère

Il est parti un matin
En disant : «Maintenant
C'est toi le plus grand
Comprends-moi
Je m'en vais dans la vie»

Un sur trois milliards
J'ai changé mon pied de lit
Pour un quai de gare
Et j'ai laissé le temps passer

De temps à autre un copain
De temps en temps un ami
Dans ma vie mon frère
Qui revient quelques fois
Séjourner dans ma tête
Qui me prend par la main
Quand j'en ai besoin
Mon frère

J'ai changé de grandeur
Janis Joplin est allée vivre ailleurs
C'est peut-être loin ou à côté

Les cailloux font des ronds
J'habite une maison blanche et orangée
Où on ne voit pas le temps passer

De temps à autre un copain
De temps en temps un ami
Dans ma vie mon frère
Qui revient quelques fois
Séjourner dans ma tête
Qui me prend par la main
Quand j'en ai besoin
Mon frère

Si on s'y mettait

C'est de l'ouvrage, une personne.

La mienne est un défi.

Je m'en tiens loin, donc j'en abuse.

Ce soir, je termine une expérience macrobiotique... de dix-sept jours!

Je me sers un «Dubonnet» rouge et j'allume ma première «Craven'A» : c'est le plus gros «buzz» de ma vie!

J'époussette ma douze-cordes, j'aiguise mon crayon jaune.

On n'écrit pas quand on a faim.

SI ON S'Y METTAIT

Gagner à naître
Avoir faim d'exister
Prêcher le beau
Et se déshabiller

Perdre une guerre
Pour gagner bien d'autres choses
Oh boy! le beau portrait

Si on s'y mettait
Si on s'y mettait

Trouver son île
Dans un ananas
Déchirer les murs
Et les almanachs
Servir des gâteaux
Dans tous les autobus
Oh boy! le beau banquet

Si on s'y mettait
Si on s'y mettait
Si on s'y mettait

On donnerait plus d'poil
À saint Jean-Baptiste
L'été viendrait peut-être
Le vingt et un de mai
Le bonheur se demanderait pas
S'il est catholique
Et mes chansons seraient de l'an prochain

Si on s'y mettait
Si on s'y mettait
Si on s'y mettait

LE CHAT DU CAFÉ DES ARTISTES

Entre «Jaune» et «Soleil», j'ai enfin confiance en moi... un jour sur deux.

Entre les deux, j'ai invité deux «bulldozers» de vingt-cinq tonnes, une «pépine» avec une pelle articulée, un «loader» de vingt-deux pieds, six chauffeurs et deux tracteurs à la Place des Arts.

Les instruments à cordes dans la fosse, les cuivres dans les pelles.

Et moi qui descend à la fin du show dans un trou de lumières pendant que les machines m'enterrent avec des confettis, que les éventails les ressoufflent et que les Petits Chanteurs du Mont-Royal reprennent ma chanson en brûlant des bougies...

Un rêve de fou, jaune «pété» et vert «John Deere».

LE CHAT DU CAFÉ DES ARTISTES

Quand on est mort c'est qu'on est mort
Quand on ne rit plus c'est qu'on ne vit plus
Quand j'aurai coupé la ficelle
Mettez-moi dans une poubelle

Laissez-moi faisander un mois
Et de là jetez-moi au chat
Qu'il refuse ma rate et mon foie
Mais choisissez l'heure pour qu'il me mange le cœur
Que je reste encore avec vous
Sur vos épaules et vos genoux
Que je sois puisqu'il faut qu'on existe
Le chat du Café des Artistes

Quand on est mort c'est qu'on est mort
Quand on ne rit plus c'est qu'on ne vit plus
Quand il a coupé la ficelle
On l'a mis dans une poubelle

Et puis ils m'ont oublié là
La la la la la la la la
Comme ils ont oublié le chat
Comme ils oublieront ma tête et mes chansons

Ce ne sera pas la dernière fois
Que l'on oubliera un artiste

Quand on est mort c'est qu'on est mort
Quand on ne rit plus c'est qu'on ne vit plus
Quand il a coupé la ficelle
On l'a mis dans une poubelle

Et puis ils m'ont oublié là
La la la la la la la la

La la la la la la la la

Quand on aime on a toujours vingt ans

J'ai eu des «chagrinettes» mais pas encore de vrais chagrins d'amour.

Je perds un peu mes cheveux, mais rien d'inquiétant.

Sauf que, mine de rien, les femmes de trente ans sont devenues plus jeunes que moi.

De nous deux, le plus amoureux c'est moi...

Le désir n'a pas d'intelligence!

Elle m'a quitté pour un autre mari en Californie : lac de larmes et semi-jalousie.

Il avait vingt-deux ans de plus que moi.

J'ai perdu la peur de vieillir...

QUAND ON AIME ON A TOUJOURS VINGT ANS

Tout ça pour une gonzesse
Qui m'avait eu par l'adresse et le faux cil
J'ai pris mon couteau
Et schlakk!
Dans le dos
Il est mort comme le juge l'a dit
J'ai eu vingt ans

Quand on aime on a toujours vingt ans
Quand on aime on a toujours vingt ans

Comme ma culotte et ma veste
L'amour avec la jeunesse
Ça va de soi
Mais il l'aimait trop
Et schlakk!
Dans le dos
Il était né en 1951

Quand on aime on a toujours vingt ans
Quand on aime on a toujours vingt ans
Quand on aime on a toujours vingt ans

Quand j'aurai purgé ma peine
Il ne faudra plus que j'aime comme avant
On ne peut pas avoir
Vingt ans
Toute sa vie
Pensez-y
Comme le juge l'a dit une autre fois

Quand on aime on a toujours vingt ans
Quand on aime on a toujours vingt ans
Quand on aime on a toujours vingt ans
Quand on aime on a toujours vingt ans

Ce soir-là

Les auteurs-compositeurs sont blasés.

Au début, ils s'écoutent entre eux; après, ils s'écoutent, surtout.

Ce soir-là, à l'Halloween, Robert C. s'était déguisé en Nixon. Claude D. avait le «kit» entier de la police montée; nous étions heureux.

Je ferais le plus beau métier si je n'avais pas à travailler...

CE SOIR-LÀ

Y' avait de l'air, y avait de l'eau
Les chats jouaient avec les veaux
Les «gypsies» avec les rois de cœur
Quelle belle soirée!

Ce soir-là
Entre Chopin et Guillaume Tell
La vie c'était du caramel
Ce soir-là, je jouais Casanova
Quelle belle soirée!

Le motel Alfred

J'ai une attaque
de ville.

Un besoin de
démon...

Les «hot-pants»
me scandalisent
follement!

Les discothèques
sont bondées de
filles aussi faciles
que la musique.

Je loue le 21e étage
entier d'un
nouveau gratte-
ciel, face à la
station de police
numéro 31.

J'habite le 2104.

Je rétrocède le
2105 à mon
imprésario Gilles
T., amoureuse-
ment lié à Ginette
R. (147 livres!).

Le 2106 va à
Jean-Pierre L.,
nouveau guitariste
autodidacte et
grassouillet,
masturbateur et
«stone», qui arrive
d'Atlanta avec
toutes les recettes
du rock and roll.

Le 2107 est confié
à David L.,
mon nouveau
pianiste américain
rouquin;
le 2108 à ma cho-
riste américaine,
le 2109 à mon
ingénieur du son,
le 2110 à mon
contrebassiste.

Le 2111 abrite
Richard R., bat-
teur exceptionnel,
aujourd'hui titu-
laire de la Chaire

de Jazz de
l'Université de
Montréal qui est
toujours mon
«ami-musicien».

Après, c'est
l'escalier de
secours! Nous
vivons les portes
ouvertes, une
espèce de com-
mune «down-
town».

Certains soirs, la
choriste arpente le
couloir en manque
d'affection...

Je me cache sur
mon balcon.
Je compose avec
la foule au prix de
mon intimité.
Je m'applique
autant à bien
écrire qu'à être
intéressant.
Tout un contrat!

Ça sent le
«Mike's» et le
«Dunkin'
Donuts».

LE MOTEL ALFRED

Dans le corridor
Y'a quelqu'un qui rit fort, fort
On n'a pas de secrets quand on vit en ville
Dans un vingtième étage
C'est comme en bateau
Mais nous, dans notre vingtième
C'est comme dans un grand motel

Les murs sont en carton
Mais ça ne fait rien
J'ai des bons voisins
On se couche aux mêmes matins
On aime les mêmes chansons

Avec le temps
On prendra tout l'étage
Pour qu'après on puisse prendre
Tout l'édifice
Un bloc appartement
Comme un grand motel... bateau
Alfred, Alfred, Alfred
Le motel Alfred
Viens voir sur mon balcon
L'oxyde de carbone sent l'encens
Viens prendre une sniff de ville
Viens t'étendre sur mon mur à mur
La ville vue d'en haut
Ça ressemble à notre cerveau
C'est haut

Dans le corridor
Y'a quelqu'un qui rit fort, fort
On n'a pas de secrets quand on vit en ville
Dans un vingtième étage
C'est comme en bateau
Mais nous, dans notre vingtième
C'est comme dans un grand motel

Chez eux, chez nous, chez vous
Tout ça, tout ça se passe dans le corridor
Et ça finit toujours pareil
Avec une toune dans les oreilles
2103, 2104, 2105, 2106...

T'ES MON AMOUR, T'ES MA MAÎTRESSE

Je me fais l'oreille en bois sur le mur du 2105 parce que, chez moi, c'est le silence sensoriel.

J'écris mes rêves en décrivant l'amour des autres!

Un serment à la «Krazy glue», entre un ancien «bouncer» et une chanteuse-née.

T'ES MON AMOUR, T'ES MA MAÎTRESSE

T'es mon amour, t'es ma maîtresse
T'es tout ce que je veux
T'es tout ce que j'ai voulu
T'es mon amour de la tête aux fesses
Et plus ça va
Et plus t'es mon amie

Une bonne fois si tu veux
J'te montrerai, sans tricher
Un côté de moi
Comme je n'ai jamais osé montrer
À qui que ce soit

T'es mon amour, t'es ma maîtresse
J'suis tout ce que je peux
J'suis tout ce que j'ai connu
J'suis ton amour d'la tête aux fesses
Plus ça va
Et plus j'suis ton ami

Une bonne fois, si tu veux
On s'assoira, face à face
Tes yeux dans mes yeux
Ah! comme ça doit être bon de s'ouvrir
Jusqu'au bout

Jusqu'au bout
Jusqu'au bout

Qu'est-ce que ça peut ben faire

Mon père et ma mère se sont enfuis au paradis dans la même année.

Ma mère, sur l'appel du bon Dieu et mon père sur celui de ma mère.

C'est moche mais c'est soulageant de ne plus être responsable de la vie de ses parents :

«Mon Dieu, faites que Papa ne perde pas son travail, que Maman guérisse de sa fausse-couche».

Après quarante-deux «jours de l'an» on enterre, en soupirant, nos vieux enfants.

Après la parenté, voilà la liberté : le droit de vivre ou de se supprimer sans faire de peine à quiconque, sauf à Bruno F. et à Julie F.

Leur père de famille les aime en chantant.

Le gars comme un frère, la fille comme une sœur.

QU'EST-CE QUE ÇA PEUT BEN FAIRE

Mais qu'est-ce que ça peut ben faire
Que je vive ma vie tout à l'envers
Qu'est-ce que ça peut ben t'faire

Qu'est-ce que ça peut ben t'faire
Quand moi j'aurai le cœur à l'envers
Qui c'est qui viendra pleurer à ma place

On est toujours tout seul
On finit toujours avec sa gueule
Mais qu'est-ce que ça peut ben faire
Que je vive pas la même vie que mon père

Qu'est-ce que ça peut ben faire
Quand y'aura plus rien qui me fera rire
Qui c'est qui viendra mourir à ma place

On est toujours tout seul
On finit toujours avec sa gueule
Mais qu'est-ce que ça peut ben faire
Que je grimpe les murs que je vive dans les airs

Wôw! Pousse pas trop fort
J'ai pas envie de mourir avant d'être mort
Wôw! Arrête
Je veux pas descendre avant d'être arrivé au bord

Donne-moi le temps de prendre mon temps
Donne-moi le temps de m'habituer à respirer
Mais qu'est-ce que ça peut ben faire
Que je vive pas la même vie que mon père

Mais qu'est-ce que ça peut ben t'faire
Que je vive ma vie tout à l'envers
Mais qu'est-ce que ça peut ben t'faire

Mais qu'est-ce que ça peut ben t'faire
Quand moi j'aurai le cœur à l'envers
Qui c'est qui viendra mourir à ma place

On est toujours tout seul
On finit toujours avec sa gueule
Mais qu'est-ce que ça peut ben faire
Si j'veux pas vivre la vie de mon père

L'Enferl'enferl'enferlandferlandferlandferland

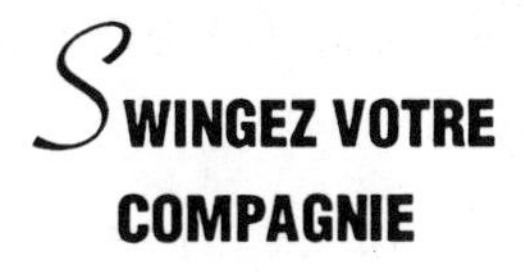

SWINGEZ VOTRE COMPAGNIE

Les morpions ont
l'onguent gris.
La gonorrhée :
la pénicilline.
L'herpès est
l'acropole sexuelle.

Sodome est sur la
rue Crescent,
à ciel ouvert.

Les femmes se
libèrent,
les hommes
s'affranchissent
dans la baise.

Je me sens floué
d'avoir fait le tour
du monde pour
rien…

Les fesses étaient
dans ma cour!

SWINGEZ VOTRE COMPAGNIE

Plus ça va moins c'est pareil
J'ai pas assez de mes deux oreilles
Même avec deux yeux
J'ai pas tout ce que je veux

Parlez-moi pas de la misère
Parlez pas des malheureux
La seule chose que j'ai à faire
C'est d'essayer d'être heureux

Ça pousse pas les boudins
Ça pousse pas comme des carottes
Ça prend une tête de linotte
Et un moral illimité
Pour trouver de la poésie
Dans un monde «écono-logique»
Eduqué, paresseux
Alcoolique et délicieux

Oh! quelle vie d'orgie
Quel monde de sexe
Y'a plus rien à l'index
Les hommes aux hommes
Les femmes aux femmes
Les hommes aux deux
Les femmes aux trois
Quand j'dirai «Go!»
Mélangez-vous
Et puis swingez votre compagnie

C'est dans un poste de police
Que j'ai rencontré Mimi
Mimi son nom c'est Maurice
Maurice c'est un travesti
Y'es marié avec Carole
Ça c'est le gars de la pharmacie
On l'appelle aussi «la folle»
Mais qu'y'est beaucoup moins joli

Y'a la reine des tapettes
On l'appelle «la grande duchesse»
Qui a les deux plus belles p'tites fesses
Et les deux plus beaux p'tits grains de beauté
Qui a même deux petits «totons»
Pour les fifis les plus cochons
Et qui fait tout, tout, tout gratuit
Pour les fifis les plus gentils

Oh! quelle vie d'orgie
Quel monde de sexe
Y'a plus rien à l'index
Les hommes aux hommes
Les femmes aux femmes
Les hommes aux deux
Les femmes aux trois
Quand j'dirai «Go!»
Mélangez-vous
Et puis swingez votre compagnie

Attention!
Yeux cochons!
Au signal!
Youpi!

J'ai dit : «Bonjour Mademoiselle»
Elle m'a pas dit : «Bonjour Monsieur»
J'ai dit : «Veux-tu?»
Elle m'a dit : «Oui»
On s'est retrouvés dans du satin
Parlez-moi pas de la misère
Parlez-moi pas des malheureux
J'étais déjà plus pubère
Qu'on était déjà plus deux

Y'avait elle, y'avait moi
Y'avait son ami d'enfance
Y'avait Nicole sa cousine
Et qui regardait par la cuisine
Pendant que le p'tit Nicolas
Rêvait dans une revue cochonne
Pour pas déranger la bonne
Qui était dans tous ses états

Oh! quelle vie d'orgie
Quel monde de sexe
Y'a plus rien à l'index
Les hommes aux hommes
Les femmes aux femmes
Les hommes aux deux
Les femmes aux trois
Quand j'dirai «Go!»
Mélangez-vous
Et puis swingez votre compagnie

WOWEN'S LIB

C'est alors que
Gomorrhe s'est
fait sentir.

Les femmes ont
pris le taureau par
les couilles.

On s'est mis à
moins limer, à
réviser la trahison,
la galanterie et la
séduction.

Au garage Esso
de mon père, la
toilette des femmes
était toujours plus
sale que celle des
hommes : par
souci d'hygiène,
elles pissaient les
pieds sur le
siège...

Une femme
enragée est plus
violente qu'un
homme
et encore plus
méchante...

J'ai cessé d'aimer
les femmes en
général;
c'est Sylvie B. qui
m'a dégourdi en
particulier.

1919, monsieur
Les femmes ça votait pas
1919
On n'avait pas les femmes qu'on a
Aujourd'hui
Dans notre lit
Dans c'temps-là c'était facile
On pensait pas au Women's Lib
Aujourd'hui
C'est fini
Où c'est qu'il est l'imbécile
Qui les a laissé s'émanciper?

Mille neuf cent tranquille, monsieur
Les femmes c'était à nous
Mille neuf cent tranquille
Les femmes ça grouillait pas de chez nous
Aujourd'hui
C'est fini
Où c'est qu'il est c'te génie
Qui les a laissé se libérer

2132, monsieur
Si ça, ça continue
En 2132
Qui c'est qui montera par-dessus
Attention
Au secours!
Qui c'est qui me parlera d'amour
Si la police s'appelle Alice
Attention
Au secours
À qui c'est qu'on fera l'amour?

MAMAN, TON FILS PASSE UN MAUVAIS MOMENT

Je rêve, mais je ne parle pas.

Je ne m'avoue pas que je suis en train de vivre les jours les plus pénibles de mon existence.

Inutiles à plusieurs, insignifiants tous ensembles.

La chanson est maintenant une industrie...

La musique est vulgaire : les beaux mots, ça fait vieux.

La parole est aux «Fenders» et exprimée par des tueurs.

Je n'ai rien à dire, plus personne à qui parler.

Je ne quitte pas la chanson, c'est elle qui s'en va.

Un soir, j'ai eu deux chagrins d'amour à mourir...

J'ai trop réfléchi
Je n'ai plus d'esprit
Mon gourou m'a rendu fou
Les jambes en lotus
Sous un cumulus
Ma conscience
Est en transe
Et mon moral
Transcendantal
J'arrive au bout
Mais je sais que Krishna s'en fout

Trente sous dans mes poches
Le corps comme une roche
Les gourous m'ont rendu fou
J'attends la lumière
Le feu, l'eau et l'air
Les jambes en lotus
Sous un gros cumulus
Qui commence à laisser tomber
Sa pluie glacée sur moi

Maman, maman ton fils passe un mauvais moment
Y'a de la brume dans ma galaxie
Maman, maman, maman ton fils passe un mauvais moment
Maharishi mahesh yogi

Il pleut dans mon lit
Mon rêve est fini
Les gourous m'ont rendu fou
Mon moi je l'ai vu
Hirsute et barbu
J'ai cassé le miroir
C'est pour ça que ce soir
Mon vague à l'âme
Est plus essentiel
Que le ciel

Maman, maman ton fils passe un mauvais moment
Y'a de la brume dans ma galaxie
Maman, maman, maman ton fils passe un mauvais moment
Maharishi mahesh yogi

Je suis bien chez nous
Calmez-moi sur vous
J'ai besoin d'un arc-en-ciel
Un clin d'œil gentil
Beaucoup de magie
Changez mon cœur en fruit
Et ma tête en oiseau

Bonsoir Madame

Une toute petite
maison, vieille de
préférence;
cent arpents de
ciel, mur à mur
et des animaux :
c'est mon rêve
d'enfance d'où je
vous écris.

J'ai vu toutes les
villes, j'ai tout
dépensé.

Je pars pour la
campagne, je vous
laisse toutes
tomber!

BONSOIR MADAME

Bonsoir madame, je m'en vais
On ne se reverra peut-être plus jamais
Plus jamais
Bonsoir madame
C'était beau, c'était court
Et tout ça c'était vrai
Mais quand c'est fini

Salut les gars je déménage
Je replace mes oreilles à zéro
Y'a d'autres voix qui m'appellent
De l'autre côté du mur du son

Bonsoir madame, y'a pas de mal
Je suis un animal
Mi-oiseau, mi-cheval
Comme une erreur de pensée
J'ai des ailes aux pieds
Je ne pourrai
Jamais m'arrêter

Bonsoir madame, je m'efface
De la même façon que je suis arrivé

Ah! je ne pourrai jamais
Jamais m'arrêter
Jamais, jamais m'arrêter
Jamais m'arrêter

T' APPELLES ÇA VIVRE, TOI, JOS?

Simon and
Garfunkel
Elton John et
B. Taupin
Les Beatles
Crosby, Stills,
Nash & Young

Robert V. et moi :
un nouveau
«team».

Il est «c.a.» , je
suis flambeur;
il m'administre et
je le dévergonde.

En coulisse il y a
toujours un pro-
ducteur, amical et
«groupie»,
qui «flye» que ça
aille bien ou mal.

En tant que
sindiqué de
l'U.D.A., j'ai
eu ces amitiés deux
fois : avec Guy L.
et Robert V.;
je leur donne mon
«Félix» mais je ne
les envie pas.

Le plus difficile
dans l'écriture,
c'est d'écrire!
C'est le plus court
rapport avec
l'amour,
la concentration
est mon supplice.
Après l'inspira-
tion, c'est le plus
douloureux
comme me disait
Félix L. :

– Perds pas ton
temps avec l'intro
et ne nomme pas
la rivière.

– Félix, je suis un fou d'intros!

– Travaille ta musique

– Ouache!

– Jean-Pierre?

– Oui?

– Sais-tu à qui je m'adressais en écrivant «Le p'tit bonheur»?

– Non.

– À la musique.

– Non!

– Demandes-y!

Regarder un beau cheval, tous les jours de sa vie : la nuance entre l'énergie et le «stamina»...

T'APPELLES ÇA VIVRE, TOI, JOS?

T'appelles ça vivre, toi, Jos
Quand j'me lève à cinq heures
Pour prendre le train de moins quart
Mais que j'arrive quand même en retard
Dans c'te maudit bureau
Qui me fait tant mal au dos
Dans c'te bureau crasseux
Qui me fait tant mal aux yeux
T'appelles ça vivre, toi, vieux?

Avec un grand patron
Comme un vrai col en plomb
Avec des sous-adjoints
Qui s'prennent pas pour des sous-adjoints
Non, non, non, non Jos
Moi j'appelle ça mourir un peu
Mourir un peu

T'appelles ça vivre, toi, vieux
Quand j'mange à midi-deux
Toujours les mêmes sandwiches
Au jambon et aux œufs
Vu que je recommence à moins vingt
Pour finir à six heures
Pour prendre le train de moins quart
Pour arriver si tard
Toujours si tard

Dans cet appartement
Gai comme un mal de dents
Grand comme un lavabo
T'appelles ça vivre toi, Jos
Non, non, non, non Jos
J'appelle ça mourir à p'tit feu
J'appelle ça mourir à p'tit feu

T'appelles ça vivre, toi, vieux
Quand j'me couche à onze heures
Avec tous mes malheurs
Ceux de ma femme aussi
Et que pour faire l'amour
Quand il faut faire l'amour
Je sois forcé de faire le tour
De cent quatre-vingt livres

T'appelles ça vivre, toi, Jos
Moi, moi j'appelle ça pousser comme des légumes
En rangs d'oignons comme des cornichons
Non, non, non, non Jos
Viens pus jacasser dans mon dos
Viens pus me parler d'Acapulco

Sors tes photos
Sors tes photos en couleurs
Qui m'font tant peur, Jos

UNE PEINE D'AMOUR

Le pire, c'est de
souffrir la nuit,
de se réveiller et
d'avoir mal
encore.

La baffe à travers
la gueule,
bloquée dans
l'œsophage et ca
creuse un trou.

C'est ça qui fait
mal, le trou,
«charcoal grey»...

La douleur
physique d'une
peine d'amour est
tellement violente
que, parfois, les
glandes cessent de
sécréter.

On cours après la
mort puis,
jour après jour,
chance après
patience,
le trou se remplit
avec du mépris.

Je ne suis plus
malade
et je ne suis pas
guéri.

UNE PEINE D'AMOUR

Une peine d'amour
Quand ça s'en va
Ça laisse toujours un éclat
Une sorte de blessure
Une peine d'amour brutale
Ça vieillit mal
Ça prend du temps
Mais ça dure pas toujours

Arrivé
Sûr de moi
Avec mes paroles de soie
Reparti tout court
Avec mes deux bras de velours

Moi qui suis pour l'amour
Pour l'amour
Ne m'envoie pas de lilas
Et surtout ne m'écris pas
Je sais bien que l'amour
Y'a rien qui bat ça
Sauf un gros chagrin d'amour
Comme j'ai sur les bras

Une peine d'amour
Quand ça s'en va
Ça laisse toujours un éclat
Une sorte de blessure
Une peine d'amour brutale
Ça vieillit mal
Ça prend du temps
Mais ça dure pas toujours

Moi qui suis pour l'amour
Pour l'amour
Ne m'envoie pas de lilas
Et surtout ne m'écris pas
Je sais bien que l'amour
Y'a rien qui bat ça

Une femme extraordinaire

Le «call du buck» tapi dans sa campagne :

«Chanteur fini, cinq pieds dix pouces avec piscine, cherche femelle sexy et belle pour faire l'amour le samedi soir, pour apaiser la transition.»

La nature est bonne pour les bons fermiers...

UNE FEMME EXTRAORDINAIRE

Une femme dans ma vie
Et tout est à l'envers
Une femme extraordinaire
Et toute ma vie s'ensuit
Si un jour ça m'arrive encore
J'y mettrai tout mon temps
J'y mettrai tout mon corps

Toutes les femmes de ma vie
N'ont pas fait que passer
Dans ma vie
Toutes les femmes de ma vie
M'ont fait comme je suis

Et celles que j'aimerai
M'aimeront comme je suis
Pas sérieux mais passionné
Les yeux toujours ouverts
Une aventure en vue
Une femme extraordinaire

Toutes les femmes de ma vie
N'ont pas fait que passer
Dans ma vie
Toutes les femmes de ma vie
M'ont fait comme je suis

VIVRE À DEUX

Comme tous les ennuyeux, je rêve de jouer au cinéma le rôle d'un boxeur dans un petit corps, plus faible que le gros mais frappant plus fort. Surprise...

Jacques L., de l'Office national du film m'offre le premier rôle de son film.

L'emmerdement c'est que je dois l'écrire ce film et, par conséquent, y jouer mon propre rôle.

Le lendemain matin, j'avais presque écrit un scénario :
un film pour rencontrer une actrice.

Le mardi suivant, mon scénario d'un soir est accepté par le comité.

Je m'accroche à l'idée qu'un scé-nario n'est qu'une idée dans le génie d'un réalisateur...

C'est l'été et ça se passe chez moi.
La première «claquette» est due pour «péter» à treize heures.

La comédienne ne s'épile pas,
si bien que je ne regarde que sa «comédiennalité».

Elle est rentrée dans son «intério-rité», sans manger pour mieux se torturer.

Elle doit pleurer
dans la première
scène et,
en bonne actrice,
elle pleure déjà.

La claquette
traîne.
Elle a pleuré pen-
dant quatre heures
comme ça. Pour
rien.

Pour un navet. 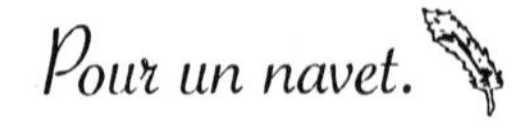

VIVRE À DEUX

Vivre à deux
C'est pas comme faire l'amour
Mais l'un ne va pas sans l'autre

Vivre à deux
Des fois c'est mieux
D'autres fois c'est moins drôle

Quand on est amoureux
C'est délicieux
Tout seuls au monde
Mais l'amour
C'est si délicat

Vivre à deux
C'est pas comme au cinéma
Vivre à deux
On a mal on ne s'en va pas
Vivre à deux
Je ne peux pas vivre sans toi
Vivre à deux
C'est tout mon passé qui s'en va

Vivre à deux
C'est pas comme au cinéma
Vivre à deux
On a mal on ne s'en va pas
Vivre à deux

Je ne peux pas vivre sans toi

Vivre à deux
1, 2, 3

Vivre à deux
Tu peux compter sur moi

Vivre à deux
1, 2, 3

Le show-business

Le plus beau moment du spectacle c'est vers onze heures, onze heures trente, quand le public est ravi, que les musiciens ont joué de tout leur cœur, que le son a bouffé l'éclairage, et que le «crew» t'applaudit.

Habiter 1,211 personnes de bon goût?

Je dois vivre bien…

LE SHOW-BUSINESS

Le show-business
C'est un autobus
Dans un habit de satin
Un beau matin
Le conducteur
T'arrête et te demande l'heure

Y'a rien que t'espérais plus
Tu payes ta place
Tu ouvres tes oreilles
Et tu te souhaites le meilleur

Et ça quand ça vient
Ça
C'est le plus beau moment de ta vie
Quand c'est à ton tour
Quand tu te dis «j'vais mourir»
Mais t'es déjà mort
Et quand tu te réveilles
Y'a des cloches partout
C'est bourré d'étoiles
Qui te font la bise
Et qui te disent
T'es un artiste
T'es un artiste
Un artiste

Et ça quand ça vient
Ça
T'es marqué pour toute ta vie
Et quand tu t'endors
Tu t'endors surpris
Tu salues toujours
Tu rêves toute ta vie
Aux plus belles étoiles
Aux plus grands amis
Qui te font la bise
Et qui te disent
Vive le show-business

Dans l'autobus
Du show-business
Y'a quelques bancs en or
Un beau matin
Le conducteur dit
Tout l'monde change de bord

Et ça quand ça vient
Ça
C'est le plus beau moment de ta vie
Quand c'est à ton tour
D'être le meilleur
Le plus beau, le plus grand, le plus fin
Et quand tu te réveilles
Y'a des musiciens
Qui jouent dans un coin
Et qui te disent : «Arrive,
Demain on chante à Val-D'or!»

Une histoire de discothèque et La vie des champs

Trois minutes et demie pour une chanson, c'est court;
pour le plaisir, j'en écris deux en même temps.

Un capricieux duel entre la ville et la campagne.

Dans une chanson, la musique est prête à prendre l'énergie pourvu que les paroles sachent tout.

Le «disco» est un tango muni d'un «hi-hat» sur le deuxième temps,
le «country» est une «batteuse-conditionneuse» avec un «yoodle» dans l'archet.

UNE HISTOIRE DE DISCOTHÈQUE

C'est une histoire de discothèque
Les yeux cernés
Les fesses au chaud
Coincé dans une boîte d'allumettes
Entre une «pédale»
Et un «macho»

Elle dansait seule
Sa jupe était fendue
Moi, je la voyais
Toute nue

Dans une histoire de discothèque
Faut faire gaffe aux malentendus
Sous une lumière stroboscopique
Les plus moches
Ont les plus beaux culs
Y'en a qui s'en foutent
Y'a des sans-cœur
Y'a quelques jaloux
Et quelques connaisseurs

Jour après jour
Soir après soir
Je frotte mes pieds sur ce plancher
Soir sur nuit
Nuit sur nuit
N'oublie pas surtout
De me téléphoner

C'est une histoire de discothèque
Comme il y en a des milllions
Le préambule au coin du bar
L'absolution sur l'édredon
Engourdi par deux mille décibels
Réveillé par deux cents coups de talon

C'est une histoire de discothèque
Les yeux cernés par le hasard
Mastiqué par le disc-jockey
Digéré par la fille du bas
Épuisé j'en prends, j'en donne, j'en meurs
C'est une histoire de discothèque
Les yeux cernés
Des seins partout

Un de ces soirs vous me trouverez mort
À deux pieds de mon lit
Un dernier mot très mal écrit
Le dernier, dernier mot de ma vie

LA VIE DES CHAMPS

Une ruche, un chat, un petit cheval blond
Tonton
La vie c'est un marathon
Entre une courgette et trois radis
La vie des champs
Tonton
C'est la vie parfaite

Du thym, du trèfle, un peu de sarrasin
Les pieds dans l'aube et le nez dans le foin
Ma vie, Tonton
C'est comme le paradis
La vie des champs
Tonton
C'est la vie parfaite

Je vous vois d'ici
Je vous vois assis
Au Ritz
Avec votre bel habit gris
Avec Mr. Bloom
Un million et badaboum
Tonton
Attention aux cons
Aux requins
Aux jaloux

J'espère que vous ne m'en voudrez pas
De penser que ma vie est chocolat
De faire la pluie et le beau temps
De perdre mon temps pauvre
Au lieu de vivre en métropole

Ti-galop, ti-galop
Sur une aiguille de pin
Ti-galop, ti-galop
Ti-galop je me sens bien
Une mouche, un chat
Et le bébé qui dort

Un renard qui rit
Et un mulot qui sort
Tonton
Je ne suis plus jamais en retard
Une coccinelle
Et le soleil qui mord

Un doux bruit d'ailes
Un oiseau qui passe
Je tire dessus
Avec mon fusil à l'eau
Psh, boom boom
Psh, boom

Parfois il vient un étranger

Que veux-tu que je te dise?

Je fais tout pour mourir depuis trois mois.

Il me semble que la cirrhose du foie est moins salissante que la lame de rasoir, alors je bois de Noël à Pâques...

Impossible de m'arrêter le cœur.

Il faut manger pour garder la force de se détruire, mais rien n'est plus déprimant que de dîner en tête-à-tête, tout seul au coin du feu.

Disons que je suis lâche, je ne vais mourir qu'un peu. Je vais t'écrire, après je t'oublierai.

QUE VEUX-TU QUE JE TE DISE?

Que veux-tu que je te dise
Quand je sens la brise je meurs
Et le plus beau château
Ne peut pas me guérir

Que veux-tu que j'invente
Je ris mais le cœur n'y est pas
Et je passe en silence
Tout mon temps pour toi

Je t'ai ancrée sous la peau
Et rien n'y pourra rien
Plus je te chasse en pensée
Et le plus tu reviens

J'ne voulais plus te parler
Mais c'est plus fort que moi
Je suis coupé jusqu'à l'os
T'oublier

Que veux-tu que je te dise
Qui veux-tu que j'aime après toi
Même les plus beaux rêves
Ne font pas le poids

Que veux-tu que j'invente
Je fuis mais tu es toujours là
Et je chante en silence
Et je parle tout bas

Je t'ai ancrée sous la peau
Et rien n'y pourra rien
Je fais le tour de ma vie
Et je n'y trouve rien

C'est qu'au fond
De mon cœur d'amoureux
Je t'attends
Je suis coupé jusqu'à l'os
T'oublier

À QUOI ÇA SERT D'ÊTRE MILLIONNAIRE?

Je n'ai pas quitté la télé, c'est elle qui manquait d'exigence.

Je me suis fait prendre à «Surprise sur Prise».

C'est dans cette émission qu'on m'a reconnu le mieux.

«Station Soleil» avec Pierre D. m'a fait aimer la télé.

Avec «Ferland-Nadeau», je n'ai perdu qu'une seule minute un soir, au bar.

La clientèle est au service du millionnaire.

L'argent m'aime parce qu'il sait bien que je le respecte assez pour ne pas le laisser pourrir dans un compte d'épargne.

Il me vient facilement parce qu'il est conscient d'être toujours, et bien, dépensé.

À QUOI ÇA SERT D'ÊTRE MILLIONNAIRE?

J'ai pas le temps d'attendre
J'ai pas le temps de rêver
Y'a quelqu'un qui rentre
Et un autre qui vient de s'en aller

J'ai pas le temps de comprendre
Pas le temps de respirer
Y'a trop de comptes à rendre
Et pas assez de secondes dans une journée
À quoi ça sert de devenir un millionnaire
Si d'un autre côté
On n'a pas le temps d'en profiter
Regarder l'eau couler
Faire la grasse matinée
Sans jamais travailler
Travailler, travailler
Rien que d'y penser
Je me sens fatigué, si fatigué

Quand le jour se lève
Je me réveille aussi
Je fais comme la veille
Je travaille et puis
Je tombe avec lui

J'ai pas le temps de m'étendre
J'ai pas le temps de sortir
Toujours à la bourre
Même si je voulais j'aurais
Pas le temps de mourir

Vingt paires de bottines
Même pas le temps de les user
Une belle grosse copine
Et même pas le temps de la cuisiner
C'est un feu de paille

Mais si tu laisses tout tomber
Faudra que tu ailles travailler
Travailler, travailler
Au secours
C'que j'aimerais faire
C'est de me laisser faire

À quoi ça sert d'être millionnaire
Bourré à craquer
Si on peut pas tirer en l'air
Partir quand ça nous tente
Rentrer quand ça nous le dit
C'est pas pour aujourd'hui
Travailler, travailler
Moi j'aimerais mieux
Me laisser aller

Plus jamais travailler

MONSIEUR GOBEIL

Jean C., mon cultivateur, a soixante-quinze ans.

Il me plaint de travailler si fort...

La récession a cela de bien qu'elle ressuscite le respect pour la clientèle et l'amour de son travail.

MONSIEUR GOBEIL

Quand monsieur Gobeil
S'en va travailler le matin
Que c'est bien, que c'est bien
De voir monsieur Gobeil
Quand je reviens de gagner ma vie
Que c'est bien, que c'est bien

J'travaille sur le «shift» de nuit
Quand monsieur Gobeil dit bonjour à sa femme
Que c'est bien, que c'est bien
De voir nos fenêtres se fermer ensemble
On peut faire l'amour en arrivant
Ou avant de s'en aller

Je t'aime, je t'aime

Quand monsieur Gobeil
Attend monsieur Bleau le matin
Que c'est bien, que c'est bien
De les voir sourire et partir ensemble
On devrait s'aimer en arrivant
Et avant de s'en aller
J'travaille sur le «shift» de nuit
Quand monsieur Gobeil
Ferme un œil au fond de son fauteuil
Que c'est bien, que c'est bien
De voir le soleil
Penser la même chose
On veut pas tous prendre le même métro
Mais on veut penser pareil

Quand monsieur Gobeil
S'en va travailler le matin
Quand monsieur Gobeil
Dit bonjour à sa femme
Que c'est beau! Que c'est beau!

Bonjour, monsieur Gobeil

Les jambes

La haute couture
gagne sa vie
à la sueur du front
des jambes des
femmes.

La beauté est
ronde...

LES JAMBES

Les jambes
Qui bougent
Qui marchent
Et s'arrêtent
Et se croisent

Les jambes
De soie
Qui montent
Qui montent
Et se touchent

Que c'est beau
Que c'est bien habilllé
Que c'est doux au toucher

Les jambes, les jambes
Aux genoux
Malgré vous
Ça vous fait penser
Moi j'y pense un peu
Peu importe
Qui les porte

Les jambes
C'est toujours beau
Quand elles se déroulent
Quand elles se détendent
Toutes retenues
Et quand elles s'ouvrent

Quand elles s'ouvrent à peine
Les jambes de laine
C'est moi qui les ai

Les jambes ça mène
Où on veut
Je les aime
Oh! mon Dieu
Que c'est doux
Ou que c'est rond
Que c'est bon
Dans le creux
Que c'est doux
Dans le fond
Les jambes

Ah! les jambes
Hum! les jambes
Ah! les jambes
Hum! les jambes

Rouge

De dix heures à
minuit,
au téléphone avec
Ginette R.,
la chanteuse qui
souffre.

De minuit à six
heures je lui ai
composé une
chanson
comme une prière
de guérison.

J'ai mis les feuilles
de paroles et de
musique dans une
boîte de chocolats
et je lui ai posté le
tout.

Une transfusion
d'adrénaline :
le vieux remède
d'un sorcier.

ROUGE

Ce soir
Je n'écrirai pas mon journal
Je ne me ferai pas trop mal
Je ne chanterai pas pour lui
Il n'est pas là

Ce soir
Sur un papier de l'an deux mille
Je vais écrire un mot fragile
Une lettre d'amour si jolie
Qu'il reviendra

Rouge
J'écris ma vie à l'encre rouge
Sur un calendrier qui bouge
De mes seize à mes trente-quatre ans
C'est ma vie

Rouge
Avec mes yeux, mes lèvres rouges
J'écris ma vie à l'encre rouge
Sur des petits bouts de papier
Pour continuer

Ce soir
J'ai du mal à m'apprivoiser
Tu es si beau dans mes pensées
Je me regarde et je te vois
Dans mon miroir

Ce soir
J'ai décidé de t'inviter
Au plus secret de mon tiroir
Si tu me caresses en pensée
Je te sentirai

Ce soir
Sur un papier de l'an deux mille
Paris, c'est loin de Boucherville
J'écris mais le cœur n'y est pas
Tu n'es pas là

Ce soir
Je cède à la mélancolie
Je pense à moi je pense à lui
Je pense au livre de ma vie
Il est parti

Rouge
J'écris ma vie à l'encre rouge
Sur un calendrier qui bouge
De mes seize à mes trente-quatre ans
C'est ma vie

Rouge
Mes joues, mes yeux, mes lèvres rouges
J'écris ma vie à l'encre rouge
Et je n'arrête pas de t'aimer
De t'embrasser

De t'aimer, de t'embrasser

Quand on se donne

Il n'y a pas de timidité dans les confidences.

On prend du plaisir à se parler tout bas.

Ça n'a pas fait le «top ten» mais ça m'a fait du bien.

QUAND ON SE DONNE

On a quinze ans
On rit, on danse
On est joli
On fait confiance
Et d'un seul coup
On ne comprend plus rien
L'amour survient, la vie commence

Parfois il pleut
Souvent il tonne
On risque gros
Quand on se donne

Avec le temps
Avec les larmes aux yeux
La vie, mes mots
L'amour m'étonne

Au fil de l'eau
On voit son âme
Avec le temps
On devient femme

L'amour désole
On risque gros
Quand on se donne

Les grands bonheurs
Les soirs de givre
Les amours las
Les amours vivent
Je n'ai plus peur
Pense à ma rive
On risque gros
Quand on veut vivre, vivre

Un grain de pluie
Sur mon idole
Beaucoup d'ennui
Comme à l'école
J'ai fait ma vie
Je ne regrette rien
Ni mes folies, ni mes paroles

Je donnerai ma vie entière
Pour être aimé à ma manière
À quoi ça sert, tout l'or du monde
Si on est seul pour une seconde?
On risque gros
Quand on se donne

Y' A PAS DEUX CHANSONS PAREILLES

Les musiciens sont des vedettes
et les miens n'ont pas de mouches dans leurs maisons.

La musique est un mal d'enfance...

Les bons compositeurs de chansons ont d'abord le respect des paroles.

Daniel M. ne connaît pas encore la détresse;
il est bien plus jeune que moi mais sa calvitie précoce nous égalise en tant que garnements.

Il joue du piano comme Paul D. et Franck D. et, comme eux,
il a le talent du compositeur : baveux, fier et peureux.

Nous libérons la musique.
Rien n'est plus douloureux que le plaisir d'écrire...

Y'A PAS DEUX CHANSONS PAREILLES

Y'a pas deux chansons pareilles
Les plus simples sont les plus jolies
Un traîneau, un chat qui veille
Un fado comme joue la pluie

Y'a pas deux chansons pareilles
Les plus belles sont les moins connues
On les joue quand elles sont vieilles
Comme un beau malentendu

À partir d'Amsterdam jusqu'au pont d'Avignon
Y'a au moins deux millions de chansons
Engagées, tourmentées, profondes ou défendues
Y'a quelqu'un qui les chante

Y'a pas deux chansons pareilles
Les plus belles sont les moins connues
Dos à dos, bouche à oreille
Comme un beau malentendu

Engagées, tourmentées, profondes ou défendues
Y'a quelqu'un de sous-entendu
Une histoire de papier, un souvenir ému
Y'a quelqu'un qui le chante

Y'a pas deux chansons pareilles
Les plus belles sont les moins connues
On les joue quand elles sont vieilles
Comme un beau malentendu

Y'a pas deux chansons pareilles
Les plus belles sont les moins connues
Dos à dos, bouche à oreille
Comme un beau malentendu

La vie est longue

*Je me demande si
je dois parler de
ma maison?*

*Je l'adore;
c'est bien mourir
que de vivre ici!*

*Dois-je
déménager?
Non.*

*Avec la langue
dans les dents et
les bajoues dans
les oreilles?
Non.*

*Il faut se faire
plaisir sans avoir
de remords.*

*C'est difficile de
faire une annonce
publicitaire pour
Hydro-Québec
quand on a connu
d'aussi belles
pannes...*

*Le plaisir d'être
riche, c'est de tout
dépenser.*

LA VIE EST LONGUE

La vie est longue
Mais plus que l'éternité
On pleure mais on veut pas crever
Avant son ombre

Quand je mourrai comme j'aurai rien
Sans rancune et sans chagrin
Comme j'aurai pas de testament
Prenez soin de mon habit blanc

Faites-le porter par Monsieur Pet-sec
Le jour de mes obsèques
Mais enterrez-moi pas avec

La vie est longue
Mais personne n'a envie de mourir
Une chance sur deux de ne pas revenir
Faut qu'on y pense

Quand je mourrai comme par hasard
Enterrez-moi pas loin d'un bar
Tout près de la femme de ma vie
Pas loin d'une guitare aussi

Je joue avant de partir pour toujours
Une chanson d'amour
Mais enterrez-moi pas avec

La vie est longue
Mais y'a personne qui veut partir
On gueule mais on veut pas mourir
Comme ça tout seul

Quand je mourrai comme la plupart
Pas de saxophone pas de fanfare
Pas de messe, pas de fleurs pas d'obsèques
Prenez soin de ma flûte à bec

Faites-la jouer par l'archange Gabriel
Quand je monterai au ciel
Mais enterrez-moi pas avec

La vie est longue
Mais personne a envie de crever
On pleure mais on veut pas «tilter»
Avant son heure

Quand je mourrai comme de raison
Pas de tambour pas de basson
Une petite ligne de mandoline
Et un filet d'accordéon

Celui qui vient si proche de m'avoir
Quand la mort est prête
Mais enterrez-moi pas avec

La vie est longue
Mais tout le monde veut en avoir deux
On braille mais on est malheureux
Quand on se taille

Quand je mourrai s'il fait soleil
Ouvrez vos belles grandes oreilles
Dites à mon ami Ti-Gus
Qu'il gratte son Stradivarius

Surtout pas de musique grégorienne
Ça, ça me ferait de la peine
De partir quand tout le monde s'endort

La vie est longue
Mais personne veut la raccourcir
On crie mais on mourrait pas
Pour tout l'or du monde

Lors de mon dernier soupir
Si elles veulent me faire plaisir
J'aimerais que les femmes de ma vie
Viennent jouer sur le pied de mon lit

Qu'elles jouent sur mon beau cor français
Les airs qu'on aimait
Mais enterrez-moi pas avec

La vie est longue
Mais pas plus que l'éternité
On pleure mais on veut pas quitter
Avant son heure

Lors de mon dernier soupir
Si tout le monde vient comme je viens de le dire
Oubliez ce que je viens d'écrire
J'aurai plus envie de mourir

Surtout si tout l'orchestre symphonique
En tuyau de castor
Venait jouer le jour de ma mort

Ma chambre

*Écrire des
chansons,
c'est tellement
difficile
mais j'aime ça.*

*Entre la vérité et
le mensonge,
il y a la
sincérité...*

*La petite Céline
D. achève d'être
pucelle :
elle s'en va aux
États-Unis.*

MA CHAMBRE

La vie vient du palier
Le vent vient de la cour
Ma chambre est habitée
Par des secrets d'amour
À la tête du lit
Deux tables de chevet
L'une avec un cahier
L'autre avec un carnet
D'amour

Un cahier d'écolier
Un carnet des amours
La vie vient du palier
Le vent vient de la cour
Une table à dessin
Un peignoir rouge et noir
Charlie Brown et Tintin
Un meuble à trois tiroirs
D'amour

Les bagues et les photos
Dans le tiroir d'en haut
Des adieux douloureux
Dans celui du milieu
Quand ma chambre s'éteint
Et se rallume ailleurs
J'entends mes robes à fleurs
Débouler des ravins d'amour

Et les fermoirs de colliers
Les souliers de Lanvin
Je les entends parler
Quand ma chambre s'éteint

Je reviendrai toujours
Toujours, toujours, toujours
La vie vient de la cour
Toujours, toujours, toujours
Le vent vient de mon amour

Les rideaux sont en soie
Au Waldorf-Astoria
La chasse est en argent
À l'hôtel St-Amant
Ma chambre est en papier
Les murs sont en amour
Les plus beaux d'un côté
De l'autre les plus lourds
D'amour
Oui, d'amour

La vie vient du palier
Le vent vient de la cour
Ma chambre est habitée
Par des secrets d'amour
Qui commencent à l'école
Et se rendent ce soir
Coucher dans des gondoles
Et des boîtes à mouchoirs
D'amour

Quand j'ai besoin de vous
C'est ici que je viens
À la pêche aux bisous
À la chasse aux câlins

Je reviendrai toujours
Toujours, toujours, toujours
La vie vient de la cour
Toujours, toujours, toujours
Le vent vient de mon amour

Je reviendrai toujours
Toujours, toujours, toujours
Parler à mes amours
Toujours, toujours, toujours
Le vent vient de mon amour
Je reviendrai toujours
Toujours, toujours, toujours

La folie douce

Le seul secret
d'une belle
chanson
c'est la réflexion
que doit s'imposer
la musique
avant de tomber
amoureuse des
paroles.

Il y a autant
d'harmonies dans
une gamme que de
mots dans le
Larousse qui
devrait, en pas-
sant, ajouter le
mot «chum» à son
illustré...

Quand Claude
D. est sorti de
«Sing Sing», c'est
ma bine qu'il a
eue en guise de
réinsertion sociale,
en plus du duel
musicien-parolier!

C'est le chanteur
qui a gagné.

LA FOLIE DOUCE

C'est la folie douce
J'aime la vie comme un enfant
J'habite dans mon intérieur la folie douce
J'aime la vie comme un enfant
Moi qui n'ai jamais sucé mon pouce
Je me surprends de temps en temps
À barbotter dans un ruisseau
C'est pas nono la folie douce
Ça vous remet sensiblement
La terre et puis le firmament
Comme un remords de l'univers
La chance vient comme un dessert
À ceux qui n'ont pas eu d'enfance
J'envoie des fleurs à mon cerveau
Des gros baisers à ma santé
La folie douce
Et je me sens comme un avion
Le ciel au lieu de la raison
J'ai le cœur comme un ascenseur
J'ai le cœur comme un ascenseur
C'est la folie douce
J'aime la vie comme un enfant
Moi qui avais peur d'avoir la frousse
Je m'étends sous un éléphant
Je plonge au plus profond de l'eau
C'est pas nono la folie douce
Ça vous met sans en avoir l'air
La tête et les pieds sur la terre
Comme un gros cadeau du soleil
Je vole à vue sans appareil

Je suis pris de la folie douce
J'atterris sur ma fantaisie la belle folie de la vie
Un mot d'amour à son ami
Un coup de pouce
Si un jour tu te sens perdu
La folie douce
J'embarque l'Armée du Salut à ta rescousse
La folie douce
C'est oser marier Brassens à Irma
Irma la douce

Androgyne

Des six pronoms personnels dont on peut se servir pour écrire une chanson, le «je» est le plus mystérieux…

Il ne me reste aucun disque de moi chez moi, je les ai tous donnés.

La beauté des femmes est ma meilleure amie…

ANDROGYNE
(ou la femme idéale)

J'ai le don de la beauté
J'ai du cœur et des idées
Je ne suis pas compliquée
J'adore être adorée
J'ai des manies d'archange
Je fais bien l'amour
Je ne fais jamais la tête, non, non
J'ai toujours un fond de fête non, non
Tout me plaît
Rien ne m'arrête, non, non
Je suis la femme idéale

La vie ne m'a pas blessée
L'amour ne m'a pas déçue
Je ne suis pas censurée
J'adore être admirée
J'ai des envies d'artiste
Je souris toujours
Je ne mets jamais
De chaîne à mon nom
Je ne fais jamais de peine, non, non
Je n'haïs pas qu'on ne prenne, non, non
Je suis la femme idéale

J'ai le don de la beauté
J'ai du cœur et des idées
Je ne suis pas compliquée
J'adore tout dépenser
Je suis crapule et tendre
Je m'oublie toujours

J'aime sans jamais dépendre, non, non
Je peux plier sans me fendre, non, non
Vous allez toujours m'attendre, allons donc
Je suis la femme idéale

Je fais bien l'amour
Je ne fais jamais la tête, non, non
J'ai toujours un fond de fête non, non
Je suis la femme idéale
Je m'oublie toujours
J'aime sans jamais dépendre, non, non
Je peux plier sans me fendre, non, non
Vous allez toujours m'attendre, allons donc
Je suis la femme idéale

J'ai coupé mon arbre

J'ai reçu un bœuf de deux mois en cadeau.

Je l'ai engraissé jusqu'à maturité et il est parti en camion pour me revenir... surgelé!

Je n'ai jamais pu le manger.

J'ai eu des paons, j'ai eu des paonnes,
des cygnes, des oies, des coqs, des pintades, des chèvres, des moutons, des visons et même des mulots.

Je sais parler le chat, je parle bien le chien mais moi, mon animal, c'est le cheval.

La beauté est ronde et tout est rond chez eux, même les quatre coins du rectangle qu'ils ont
en plein milieu des yeux.

J'ai réduit ma basse-cour à la plus simple expression de la chaîne alimentaire : les chats chassent les mulots, les chiens courent après les chats, les chevaux ruent les chiens.

Je connais assez les arbres pour savoir que toutes les épinettes donneraient leurs aubiers pour finir leur vie dans une *bibliothèque enrobées de cuir et dorées sur tranche…*

Si la chèvre de Monsieur Séguin a 150 ans aujourd'hui, c'est grâce à la pâte à papier.

La campagne, comme nos enfants, finit toujours en ville.

À mon fils.

J'AI COUPÉ MON ARBRE

J'ai coupé mon arbre
Pour faire du papier
Pour que tu m'écrives
Pendant des années
S'il te faut de l'encre
J'irai saborder un pétrolier

Je ferai des cyclones
Des trous dans l'ozone
Pour que tu respires
Pour que tu survives
Dans le monde entier

Je t'aime bien plus qu'un ruisseau

Les feuilles ont des veines
Complètement d'accord
Je te jure que j'aime
Mon chien Labrador
Mais la flore humaine, moi,
Ça m'émeut deux fois plus
Qu'une tortue

Moi c'est ton visage
Ta voix qui résonne
Ça sent bon les fleurs
Mais quand tu téléphones
Ça sent bien meilleur

Je t'aime bien plus qu'un ruisseau
Je t'aime bien plus qu'un ruisseau

Je t'aime bien mieux que les dauphins
Qui jouent aux chiens dans mon lit d'eau
Les pieds dans l'eau les larmes au bord
Je t'aime bien plus qu'un castor
Fou, fou
Je suis un fou de la tendresse

Les plus belles étoiles
Me laissent indifférent
À coté des bisous de mes enfants
Pas besoin d'océan
Avec eux entre quatre murs
Ça vaut bien des natures
Ça vaut tous les chevaux

J'ai coupé mon arbre
Avec les oiseaux
Toi quand tu me parles
C'est tellement plus beau
J'aime mieux descendre
Dans tes yeux
C'est bien mieux

Je t'aime bien plus qu'un ruisseau
Je t'aime bien plus qu'un ruisseau

Je t'aime bien mieux que les dauphins
Qui jouent aux chiens dans mon lit d'eau
Les pieds dans l'eau les larmes au bord
Je t'aime beaucoup quand tu dors

Je t'aime bien plus qu'un ruisseau
Je t'aime bien plus qu'un ruisseau

Méfiez-vous des artistes

Paul B. a de quoi être fier de moi, comme je suis fier de lui.

Mon beau sapin!

Le danger dans la campagne, c'est de se «hooker» aux confitures...

L'histoire d'un génie qui marie la femme de ma vie c'est «Gala», ma première chanson de 120 minutes...

Extrait de la comédie musicale «Gala».

La revanche du chevalet chantée par Gala, lors du vernissage «la révolution de l'imagination», il y a cinquante ans...

MÉFIEZ-VOUS DES ARTISTES

Méfiez-vous des artistes
Prenez garde à Paris
Ils n'ont pas de pudeur
Ils se fendraient le cœur
Pour avoir du génie

Méfiez-vous des artistes
Ils vont tous au soleil
Prenez garde aux après
Quand ils ont du succès
Ils ne sont plus pareils

Prenez garde aux artistes
Le chef-d'œuvre parfait
C'est l'amour de leur vie
Les femmes et les amis
Passent toujours après

Méfiez-vous des artistes
Prenez garde aux vampires
On travaille et on joue
Et un soir tout à coup
On les aime à mourir

Méfiez-vous des artistes
Mais surtout, allez-y

T'ES BELLE

J'ai cessé d'être émotif l'année où l'«Homme de l'année» du «Times» fut un robot...

J'avais mis un «X» sur la chanson parce que le musique mettait un «X» sur les mots.

J'étais fou d'amour quand la ballade est revenue!

Dyane L. va fêter ses quarante ans le 20 juillet; je vais lui faire sa fête...

François C. est un homme d'estomac.

Le maître est fendant, sa musique est touchante.

Il est dix heures du soir, le 23 juin, je lui chuchote les premières lignes d'une chanson d'amour avec quelques accords primaires et un soupçon de mélodie.

Je découche avec la «Poire William»...

*Le lendemain,
c'est le matin de
mon propre
anniversaire et
François C. a
travaillé une partie
de la nuit.*

*Je me réveille au
son d'une belle
musique : celle de
«T'es belle».*

*Moi qui voulais
faire la fête à
Dyane L., voilà
que c'est eux qui
font la mienne!*

*Saint-Norbert, le
samedi 20 juillet,
quatres heures
p.m. :
quarante belles
personnes s'éten-
dent sur le tapis
près du piano.*

*François C. joue
et moi je chante
«T'es belle» pour
la première fois à
Dyane L. qui
humecte le mur...*

*Je l'ai chantée
100 fois depuis,
avec le même
frisson.*

*Quinze chansons
par année, trente
ans plus tard,
le boutonneux a
fait sa thèse;
une thèse sans
doctorat, sauf
pour la rosette
d'amour :
s'ouvrir à son
amour et être aimé
par elle.*

T'es belle...

T'ES BELLE

T'es belle
En femme ou en enfant
Les cheveux longs ou courts
T'es belle pour longtemps
T'es belle pour toujours
Il n'y a pas d'années
Qui touchent à ta beauté
T'es belle pour longtemps
T'es belle pour toujours
Naturelle
À mon goût
Sans lunettes de soleil et sans bijoux

T'es belle
Quand je sors avec toi
Je lave mon auto
Je me rase deux fois
Tes beaux yeux m'amadouent
Il neige sur tes dents
Quarante ans mon amour
Je t'aime en ce moment
Je t'adore en plein jour
Naturelle
Décoiffée
Sans fourrure, sans Chanel et pas bronzée

Mon beau trésor
Mes amis t'aiment
Et moi je t'adore

Les années filent
C'est l'an deux mille
Je t'aime aussi fort

T'es belle
T'es mon idole

Depuis l'école
T'es la femme
Dont j'ai rêvé
Flamboyante renfermée

Ultra chatonne
Super sexée

Je t'aime

Tu ne peux pas savoir
Tu marches avec des gants
Tu descends l'escalier
On dirait comme le vent
Tellement t'es raffinée
Naturelle
À mon goût
Sans lunettes de soleil et sans bijoux

Veux-tu danser?

Un gentilhomme et un champion

J'ai vadrouillé
mais je n'ai pas
changé; je suis
pareil à ce que
j'étais à seize ans.

Le fou désir d'être
désiré, la même
envie de ne pas
travailler, le goût
de me battre et de
risquer ma vie.

J'aurais pu être
un héros :
si j'étais mort en
pleine jeunesse, sur
la scène,
un samedi soir de
gloire...

Comme Gilles V.,
mort sans perdre
la vie au Québec
et en Italie.

Son père était
mon accordeur de
piano.

Un lundi, Séville
V. finit son
«accordage», fait
les trois «mi»
du piano, se
lève... et me
demande d'écrire
une chanson
pour son cham-
pion de fils.

Une chanson sur
commande :

«Allô? Allô, le
paradis?
Ici Berthier
pour Gilles
Villeneuve...

Bonjour
Champion, me
reconnais-tu?
On s'est parlé une
fois dans l'avion.
J'avais trouvé que
t'étais très, très,
très gentil
pour une idole
avec un si gros
nom...»

*Une ballade pour
un héros supérieur
et sympathique.*

*Une belle musique
pleine de peine
pour quelqu'un qui
est plus ou moins
mort.*

UN GENTILHOMME ET UN CHAMPION

Au début
C'est pour la pure émotion
Au début
C'est pour la belle compétition

À la fin
Quand le blouson brodé d'or
Les amis te parlent encore
Malgré tout, malgré la mort

Tu dois rire
Dans le salon des champions
À côté d'Napoléon
De nous voir inconsolés
C'est qu'on n'voit pas souvent passer
Dans le ciel des célébrités
Un gentilhomme et un champion
Un gentilhomme et un champion
Un gentilhomme et un champion

À Berthier
C'est comme à Monte-Carlo
Comme on dit
Quand on a réussi sa vie
Au soleil
Autour de quatre heures et demie
Un dimanche après-midi
Vivre le rêve de sa vie
Éblouir
Risquer la peau de son corps
Battre son propre record

Pour enfin se surpasser
C'est qu'on ne voit pas souvent passer
Dans le ciel des célébrités
Un gentilhomme et un champion
Un gentilhomme et un champion
Un gentilhomme et un champion
Un gentilhomme et un champion

Mon copain
DENISE

Denise B. a un si
doux visage que
son âge n'existe
pas.

Je ne la connais
pas intimement
depuis trente ans.

Elle ne sait pas
qu'elle a toujours
été ma confidente
sans confidences.

Quand je suis
inquiet du goût
d'un geste ou bien
d'une écriture je
pense comme je
pense qu'elle pense
et j'entends ce
qu'elle dit
quand j'écris des
conneries.

Une belle femme,
des yeux bleus;
il faut être aux
anges pour être
son mari...

MON COPAIN DENISE

Elle chez elle
Moi chez moi
Ça fait vingt ans qu'on s'approche
De jour en jour, sans que ça se voie
Mon copain Denise et moi

Elle chez elle
Moi chez moi
Soudés dans les moments les plus moches
Et secrets dans les jours extras
Mon copain Denise et moi

Qui c'est qui m'aurait dit
Que mon meilleur ami
Pour qui j'donnerais ma chemise
S'appellerait Denise

On peut s'aimer à mourir
Profondément sans désir
Ça fait vingt ans qu'on fait ça
Denise et moi

On est proches
On est vrais

Nous deux on ne se prend
Presque pas dans nos bras
On ne s'embrasse jamais
Mon copain Denise et moi

On est proches
Elle et moi
Ma photo n'est pas dans sa sacoche
Son parfum ne me suit pas
Mon copain Denise et moi

On peut s'aimer autant
Sans se faire l'amour
On peut s'éprendre beaucoup
Sans se tenir par le cou

On peut s'aimer vraiment
Souvent mais pas tous les jours
On s'aime chacun chez soi
Denise et moi

On peut s'aimer d'amitié
On peut s'aimer sans amour

D'une amitié passionnelle
Sans baisser l'abat-jour

Tout près de l'amour de soi
On peut s'aimer sans amour

Ça fait longtemps qu'on fait ça
Denise et moi

Au revoir
Au plaisir
Avant de partir détends ta belle face
Et fais-moi donc un beau sourire
On s'aime sans rien dire

Au revoir
Au plaisir
Cacher le tourment d'ouvrir la porte
Et cacher le mal de partir
On s'aime sans rien dire

Qui c'est qui m'aurait dit
Que mon meilleur ami
Pour qui j'donnerais ma chemise
S'appellerait Denise

Qui c'est qui m'aurait dit
Que mon meilleur ami
Pour qui j'donnerais ma chemise
S'appellerait Denise

Qui c'est qui m'aurait dit
Que mon meilleur ami
Pour qui j'donnerais ma chemise
S'appellerait Denise

PISSOU

Après Meech et
Charlottetown, je
me sens «drabe»...

J'écris un
pamphlet au lieu
d'avoir honte et je
le lis à ma fille
Julie F. le jour de
ses vingt et un
ans.

– Tu vas faire la
musique?

– Non.

– Pourquoi?

– J'ai horreur des
chansons
engagées.

– Pissou! Si tu ne
la chantes pas, je
ne te parle plus.

C'est comme ça
qu'en quelque
sorte, j'ai osé
publier mes
propres «Versets
Sataniques» :
en têtant la
bravoure,
la troisième
«tétine» du
patriotisme...

PISSOU

On se pète la gueule
On se tord le cou
On a tellement peur
De finir tout seuls
On se tape les bretelles
On se greffe des tatous
On joue le patriote
On joue le mercenaire
Mais par en arrière
On prend son trou

On est des pépères
On est des nounous
On a tellement peur
Du propriétaire
Des coups d'pied dans le mur
Des morsures de loup
Des rages de culture
Des matières de goût
Mais par en arrière
On prend son trou

On pique des colères
On gueule à grands coups
Mais par en arrière
Par en dessous
On est pissous

On fait des manières
On fait des discours
Mais par en arrière
Par en dessous
On est pissous

Calice de calvaire
Les baguettes en l'air
Mais par en arrière
Par en dessous
On est pissous

Pissous, pissous
On s'en fait accroire
Pissous, pissous
On casse les miroirs
Pissous, pissous
On se conte des histoires

Un jour un beau loup
Un beau loup pissou
Est mort sans s'en apercevoir

Il s'est enfermé
À force de pisser
Tout autour de son territoire

On pense qu'on est braves
Parce qu'on est baveux
On croit qu'on se révolte
Quand on est furieux
On s'lève de bonne heure
On brasse la cabane
On part la chicane
On fait l'bras d'honneur
Mais par en arrière
On prend son trou

On voit la misère
Partout sur la terre
On revient chez nous

La tête la première
Maudit qu'on critique
Maudit qu'on rouspète
La buée dans les barniques
La broue dans l'toupet
Mais par en arrière
On prend son trou

Des bottines en fer
Des blue jeans à clous
Mais par en arrière
Par en dessous
On est pissous

On est fier de nous
On pète de la broue
Mais par en arrière
Par en dessous
On est pissous

Calice de calvaire
On prend nos grands airs
Mais par en arrière
Par en dessous
On est pissous

Quand un gros bœuf de l'ouest
Pisse sur la fleur de lys
On se garoche un «May West»

Quand une «clam» de «Newfie»
Nous traite de «pepsi»
On flye à Miami

C'est fou comme c'est doux
Un air de pissou

On dirait que tu ne m'aimes plus

Le couple est une utopie, deux personnes de sexes opposés qui désirent se fondre, tout en restant autonomes…

C'est celui qui crie le moins fort qui part le premier.

ON DIRAIT QUE TU NE M'AIMES PLUS

Tu disais l'amour m'élance
On s'étreignait
Les bras morts, la bouche engourdie
Aujourd'hui tu me mords, bien moins fort
T'as déchiré ma chemise une seule fois

Ce soir
Tu m'embrasses vingt fois tout au plus
On dirait que tu ne m'aimes plus

On avait la peau brûlante
On s'étreignait
Tu dormais, moi je tombais mort
Aujourd'hui tu m'adores,
Mais tu n'me tues plus
On fait l'amour à peine quelques fois par jour
Du crépuscule à l'aube sans plus
On dirait que tu ne m'aimes plus

Sur le plus beau lac du monde
Une cane et un canard
Se suivaient à la seconde
Ombre à ombre et farce à part
Le plus bel amour du monde
S'épivarde tôt ou tard
Et la blessure est profonde
Surtout pour celui qui part
Touche-moi à toutes les secondes
Couche-moi dans tous tes regards

Du crépuscule à l'aube sans plus
On dirait que tu ne m'aimes plus

Tu m'attaques mais tu ne m'achèves plus
On dirait que tu ne m'aimes plus

MONTRÉAL EST UNE FEMME

*Si les allophones
de Montréal
étaient subtils,
ils se feraient un
point d'honneur
de garder
leur ville...
francophone!*

*C'est un privilège
que d'habiter un
coin du monde
qui ne ressemble à
nulle part ailleurs.*

*C'est insultant
d'avoir à se
défendre
pour n'être ni
comme Londres,
ni comme
Chicago.*

*Si vous m'aimez,
je ne suis pas
raciste.*

*Dyane L. a un
peu d'Abénakis;
l'une avait beau-
coup d'Irlande,
l'autre, moitié
Laval, moitié
Antilles.
Lise T., elle,
était pure Lac
St-Jean.*

*Tous les bébés du
monde parlent la
même langue
lors de leurs pre-
miers mots :
ga, ga...*

*Le bout du monde
n'existe plus. Les
Amish, les
Pygmées, tous
les «circoncis»
de la terre com-
prennent :
«Chercher la
femme ou toujours
l'amour.»*

*La langue a été
donnée à l'homme
pour cacher son
impuissance.*

MONTRÉAL EST UNE FEMME

Que c'est beau un poteau
Un poteau de téléphone
Quand c'est ta voix en personne
Que je tiens au bout du fil

Que c'est beau un trottoir
Le macadam qui résonne
Tes talons
La chanson de tes talons

Que c'est beau, que c'est chouette
Un B-747
Quand c'est toi qu'il me ramène
Ça sent bon le kérosène

Que c'est beau un taxi
Que c'est charmant un chauffeur
Qui abaisse
Son rétroviseur

Que c'est beau l'oratoire
Les yeux pleins de rouge à lèvres
La montagne, la rue Peel
La brique et les escaliers

Il est beau le stade olympique
Rétractable et défoncé

Montréal est une femme
Une femme bleu, blanc, blues
Je ne peux pas me passer d'elle

Montréal m'appelle
Montréal me «cruise»

Montréal est une femme
Une femme bleu, blanc, blues
Couchée sur le lit du fleuve
St-Denis, Maisonneuve
Montréal mon amour

Londres est un homme
New-York est un «bum»
Mais Montréal
Ma belle Montréal

C'est ni trop grand, ni trop petit
C'est grand comme une île
Avec des rues féminines
Avec des noms religieux

C'est ni trop vieux, ni trop bébé
C'est comme la musique
Tes talons
La chanson de tes talons

Que c'est beau un building
Que c'est beau soixante étages
Comme un gros pain de ménage
Déposé sur un parking

Que c'est beau, que c'est «sweet»
Les murs de toutes les couleurs
Un «smoked meat»
Avec une liqueur

Est-ce qu'il pleut dans le Vieux?
Est-ce qu'il neige sur la montagne?
Il fait moins trente en campagne
Est-ce que c'est plus doux chez vous?

Nonobstant, je t'envoie mon cœur
Par l'autobus de cinq heures

Montréal est une femme
Je m'en ennuie
Je pars et tu restes
Et je reviens de plus en plus
À Montréal P.Q.

Montréal est une femme
Tu me l'avais dit
Je pars et tu restes
Et je m'ennuie de plus en plus
De Montréal P.Q.

Montréal est une femme
Une femme bleu, blanc, blues
Je ne peux pas me passer d'elle
Montréal m'appelle
Montréal me «cruise»

Montréal est une femme
Une femme bleu, blanc, blues
Je ne peux pas me passer d'elle
Une ville avec des jarretelles
Je suis infidèle
Elle n'est pas jalouse

Le cœur au beurre noir

Un soir au bout
des femmes,
j'ai perdu
l'amour.
À deux pas de
perdre la vie,
on tarde à mourir
quand on est
riche.

Paris, Cannes,
Rome, les suites
d'hôtel, les
limousines, les
casinos…
tristement, mais
sûrement, j'ai tout
dépensé.

Les plus «trip-
pant» dans l'aven-
ture de s'enrichir,
c'est le plaisir de se
ruiner.

J'avais cent
quatre ans
quand j'ai rouvert
la porte de «Chez
Swan».
Sur le premier
tabouret du bar,
de beaux et longs
cheveux noirs;
j'ai perdu soixante
ans quand j'ai
découvert
son beau
visage…

C'est son nez qui
m'a d'abord
frappé :
tellement joli que je
me suis retenu
d'en faire le
compliment.

Sans rire je lui ai
dit :
«Vous êtes telle-
ment belle que, si
vous disiez oui,
je vous marierais
demain matin.»

Je voulais sourire
mais, quand j'ai
vu ses yeux, je suis
resté sérieux.

– Vous tombez
mal parce que ces
jours-ci, je n'aime
pas beaucoup les
hommes.

– Ça tombe bien,
moi non plus!

Elle est partie sans
rire…

LE CŒUR AU BEURRE NOIR

Me voici ce soir le cœur au beurre noir
Étendu de tout mon long
J'ai mal aux poings, j'ai mal aux yeux
Je perds mes beaux cheveux blonds
Une gauche au front une droite au cœur
Je tombe dans l'ombre et puis je pleure

Me voici ce soir le cœur au beurre noir
Trop assommé pour mourir
Seul comme un chien, loin comme un vieux
Fatigué d'être amoureux
Je panse mes bleus, je broie du noir
Tu m'as mis le cœur... le cœur au beurre noir

On rit, on danse, on joue les durs
On boxe à tous les soirs
Dans des arènes de fourrure
Dans des rings en miroir

Je suis une ballade
Une chanson d'amour
Un amant malade
De donner sa main
D'appuyer sa joue
De danser collé, collé
Bonsoir, est-ce que je peux m'asseoir?

Je suis une ballade
Dans le coin bleu en pyjama
Comme un piano-bar
Quand les gens s'enlacent

À trois heures moins quart
Vous sentez-vous tendre
Dans le coin rose en peignoir noir
Dansez-vous le slow
Le premier qui tremble
Gagne un à zéro
Êtes-vous partante
Pour un corps à corps
À celui qui aime
L'autre le plus fort

Me voici ce soir le cœur au beurre noir
Dans les bras de mon gérant
Le poids des ans dans la figure
C'est dur d'accrocher ses gants
De renoncer au tapis rouge
Et d'oublier... les gants de soie

Me voici ce soir le cœur au beurre noir
Étendu de tout mon long
J'ai mal aux poings j'ai mal aux yeux
C'est souffrant de dire adieu
C'est effrayant pour un chanteur
Quand vient l'heure... d'accrocher son cœur

On rit, on danse, on joue les durs
On boxe à tous les soirs
Dans des arènes de fourrure
Dans des rings en miroir

Je suis une ballade
Une chanson d'amour
Un amant malade

De donner sa main
D'appuyer sa joue
De danser collé, collé
Bonsoir, est-ce que je peux m'asseoir?
Dans le coin bleu en pyjama
Vous sentez-vous tendre
Dans le coin rose en peignoir noir
Dansez-vous le slow
Le premier qui tremble
Gagne un à zéro
Êtes-vous partante
Pour un corps à corps
À celui qui aime
L'autre le plus fort
Je suis une ballade
Une chanson d'amour

Le cœur au beurre noir

Adieu la beauté

Les feuilles rougissent pour excuser l'automne d'être si gris.

Gala devant son miroir.